Edgar Allan Poe

Cuentos Policiales

Selección y prólogo: Enzo Maqueira

Colección *Filo y contrafilo* dirigida por
Adrián Rimondino y Enzo Maqueira.

Ilustración de tapa: Fernando Martínez Ruppel.

Cuentos policiales
es editado por
EDICIONES LEA S.A.
Av. Dorrego 330 C1414CJQ
Ciudad de Buenos Aires, Argentina.
E-mail: info@edicioneslea.com
Web: www.edicioneslea.com

ISBN 978-987-718-236-1

Primera edición. Impreso en Argentina.
Abril de 2015. Arcángel Maggio-División Libros..

Poe, Edgar Allan
    Cuentos policiales. - 1a ed. - Ciudad Autónoma de Buenos Aires : Ediciones
Lea, 2015.
    192 p. ; 23x15 cm. - (Filo y contrafilo; 37)

    ISBN 978-987-718-236-1

    1. Narrativa Estadounidense. 2. Cuentos. I. Título
    CDD 813

Edgar Allan Poe

Cuentos Policiales

Selección y prólogo: Enzo Maqueira

Introducción

¿Cuánto le debe la literatura universal a la figura –y el genio– de Edgar Allan Poe? Nacido en Boston, Estados Unidos, el 19 de enero de 1809, Poe fue pionero del género fantástico, referente ineludible de la literatura de terror y dio el puntapié inicial para una de las tradiciones literarias más ricas y exitosas de la actualidad: el policial.

Era hijo de una actriz irlandesa que falleció cuando él tenía sólo dos años de edad. Su padre, también actor, lo abandonó poco tiempo después. Desde entonces, Poe vivió en Richmond, Virginia, con la familia de Frances y John Allan, de quienes tomó su apellido. La relación con sus padres sustitutos no era fácil: aunque Frances lo consentía, no podía detener los maltratos por parte de John. Este vínculo, así como los años que Edgar permaneció pupilo en un colegio de Londres, a partir de 1815, sería el semillero de gran parte de su futura obra como escritor.

En 1822 regresa a Richmond, donde más tarde comienza sus estudios universitarios. Es aquí, sin dudas, donde se encuentra con el pensamiento racional que luego llevará a sus relatos policiales. Poe se destaca en física y matemática, aunque es un alumno algo desordenado que busca sosiego en el consumo de alcohol. Es la misma época en la cual entabla una relación con su prima hermana, varios años menor que él, con quien termina casándose. Poe tenía veintiséis años; su prima, sólo trece. La relación le propiciaría algunos años de felicidad que luego se convertirían en un calvario. En 1842, Virginia contrajo la tuberculosis que la mataría casi cinco años más tarde. Poe queda sumido en una profunda depresión que se profundiza aun más con el abuso de la bebida.

Aunque su padre adoptivo era un hombre adinerado, Poe no heredó ni un centavo de esa fortuna, de modo que debía vivir de la escritura de artículos, cuentos y poemas para distintas publicaciones. Esto le valió un temprano reconocimiento en el mundillo intelectual, principalmente en Filadelfia, donde vivió unos años, llegando a convertirse en jefe de redacción de la prestigiosa *Burton's Gentleman's Magazine*. Allí publicó también su primer libro de relatos: *Cuentos de lo grotesco y lo arabesco*, de 1840, que incluye sus textos más célebres, como "La caída de la Casa Usher", "Ligeia" y "Manuscrito hallado en una botella".

Es en esos años cuando escribe los relatos policiales que incluye este volumen, "Los crímenes de la Rue Morgue" (1841), "El misterio de Marie Rogêt" (1842) y "La carta robada" (1844), los tres protagonizados por *Monsieur* Dupin, un razonador a ultranza que resuelve el misterio detrás de los crímenes mediante un análisis minucioso de sus detalles, el uso del método científico y la deducción. También pertenece a esta época "El escarabajo de oro" (1843). Con estos cuatro cuentos Poe sienta las bases del género policial que luego retomarían tantos autores a lo largo de la historia: G.K. Chesterton, Arthur Conan Doyle, Agatha Christie, Jorge Luis Borges y Adolfo Bioy Casares, entre muchos otros. Aunque su literatura crece cada vez más, sus problemas se multiplican y su alcoholismo empieza a perjudicar su imagen en Filadelfia.

En 1844, cada vez más cercado por el alcohol, sin trabajo y con su mujer enferma, Poe decide mudarse a Nueva York. Consigue que *Evening Mirror* y *Brodway Journal* le compren algunos de sus textos, entre ellos su famoso poema "El cuervo", cuyo éxito lo convierte en un autor reconocido y prestigioso, aunque esto no logra traducirse en beneficios económicos. Sin embargo, el éxito no puede frenar la tuberculosis de Virginia, quien muere en 1846.

Ahora sí, esclavo absoluto del alcohol, Poe enferma, enloquece y pierde el rumbo. Aunque escribe algunos otros textos memorables, nada puede detener su caída a los abismos. A fines de 1849 alguien lo encuentra deambulando por la calle, confundido y en estado de absoluto abandono. Poe pasa sus últimos días en un hospital, donde finalmente muere. Sus últimas palabras fueron "Que Dios ayude a mi pobre alma".

Poe y el género policial

Existe unanimidad en la aceptación de que Poe inauguró el género policial a partir de la publicación de los cuatro cuentos que conforman este libro. Pero no sólo eso. Estos textos constituyen, además, parte de lo mejor y más leído de su obra. "El escarabajo de oro" es probablemente uno de sus cuentos más populares, y le valió, en vida, la cantidad de dinero más alta que ganó con su literatura: cien dólares de premio en un concurso.

Se considera que el género policial nació con "Los crímenes de la calle Morgue". Publicado en 1841, Poe lo llamo "cuento de raciocinio" y todavía hoy se estudia como el primer cuento de detectives moderno. ¿En qué consiste este tipo de literatura? Hay un crimen que debe ser resuelto, la policía no logra dar con el culpable, acude a un hombre culto, amante del raciocinio, que se ocupa en analizar objetivamente hasta revelar el misterio. En tres de los cuatro cuentos policiales de Poe ese detective es encarnado por Auguste Dupin, el primero de una larga serie de detectives que protagonizan la historia del género policial, y entre los cuales cabe incluir a Sherlock Holmes, al Padre Brown, Hércules Poirot y Bustos Domecq, entre muchos otros. En los relatos de Poe, el lector, a menudo a través de la mirada de un testigo y compañero del protagonista, es invitado a seguir los razonamientos del detective, desentrañando el enigma que se plantea al comienzo del cuento. Este tipo de literatura policial luego sería continuada hasta formar una verdadera escuela inglesa del género, cuya característica principal es un desarrollo lógico e incluso matemático de la trama, donde la resolución del enigma se da a través de pistas pero también de piezas de un rompecabezas que empieza a tomar forma, tanto a partir de la deducción como de la interpretación de la psicología de los criminales.

No es casual que el género policial haya surgido con Poe a mediados del siglo XIX. La revolución industrial comenzaba a poblar las grandes ciudades, los vecinos se convertían en desconocidos y fue necesario crear los primeros cuerpos de policía. El crimen aumenta, pero también la cantidad de personas alfabetizadas que pueden consumir –gracias a nuevos y más efectivos medios de impresión– diarios populares donde los casos policiales son los grandes protagonistas. Hay más gente en las ciudades y el caos empieza a convertirse en una amenaza, al tiempo que las ideas del positivismo se vuelven dominantes. Así, estas mismas sociedades heterogéneas que encierran barriadas oscuras donde impera el crimen, también abrazan los conceptos y avances de la ciencia. El policial genera, entonces, historias de crímenes que luego serán resueltos a través de la razón: la sociedad del siglo XIX da lugar a los fantasmas del delito, pero también conoce las herramientas para exorcizarlos. La literatura que Poe inaugura con "Los crímenes de la calle Morgue" nos devuelve la previsibilidad perdida en medio de la vorágine de los nuevos grandes centros urbanos.

La trilogía protagonizada por Dupin encierra lo que luego se convertirá en rasgos característicos del policial: un detective aficionado que posee extraordinarias facultades deductivas, al tiempo que menosprecia el trabajo policial; un narrador coprotagonista que ayuda al detective en su investigación; la aparición de sospechosos y testigos que conducirán a develar al misterio pero también crearán confusión; la razón como vía para resolver el crimen; y, por último, el predominio de la razón sobre la acción. Muchas de estas características todavía hoy impregnan a la literatura del género, que desde Poe hasta la fecha ha mutado, crecido y abarcado diversos sub-géneros. El propio Poe varía ligeramente sus reglas en "El escarabajo de oro". Es que el policial, aunque limitado a la resolución de un crimen, es al mismo tiempo un fértil terreno de libertad donde los más grandes artistas de la historia universal han sabido dejar su huella. Quizás su mayor interés resida en que los cuentos policiales encierran la gran contradicción de nuestra existencia: mediante un ejercicio de deducción, raciocinio e inteligencia, proponen un medio para develar los enigmas creados por el lado más salvaje de la naturaleza humana. Como decía Robert Louis Stevenson —otro grande que también coqueteó con el género—: "El mérito de Poe es que arrastra a la gente". Un siglo y medio después de su muerte, parece que todavía lo sigue haciendo.

Enzo Maqueira

Los crímenes de la calle Morgue
(1941)

La canción que entonaban las sirenas o el nombre
que adoptó Aquiles cuando se ocultó entre las mujeres,
son cuestiones enigmáticas, pero que no se hallan
más allá de toda conjetura.

Sir Thomas Browne

Las características de la inteligencia que suelen ser calificadas como analíticas resultan, en sí mismas, poco propensas a ser objeto de análisis. Sólo las apreciamos si nos fijamos en sus resultados. Entre otras cosas conocemos que, para aquél que las posee en alto grado, resultan fuente del más encendido gozo. Así como el hombre fuerte se regodea en su destreza física y disfruta con ejercicios que requieren de la acción de sus músculos, de la misma forma el analista halla su goce en esa actividad del espíritu que consiste en "desenredar". Incluso disfruta con las ocupaciones menos importantes, siempre que su talento sea puesto a prueba. Le encantan los enigmas, los acertijos, los jeroglíficos, y al resolverlos enseña un grado de perspicacia que, para la mente común, parece sobrenatural. Sus resultados, producto del método en su forma más esencial y profunda, poseen por completo el aire de una intuición. Es posible que la habilidad para la resolución se halle potenciada por el estudio de las matemáticas, y en especial por su más alta rama, la cual, sin justicia y sólo por obra de sus operaciones retrógradas, se denomina "análisis", como si se tratara del análisis *par excellence*. Sin embargo, calcular no es en sí mismo analizar. Alguien que juega ajedrez, por ejemplo, lleva a cabo lo primero sin esforzarse en lo segundo. Sucede que el ajedrez, en lo relativo a sus efectos sobre la naturaleza de la inteligencia, es apreciado de modo equivocado. No redactaré un tratado al respecto; sólo me limito a prologar, con algunas observaciones pasajeras, un relato de cierta singularidad. De modo que aprovecharé la oportunidad para afirmar que el más alto grado de la reflexión es puesto a prueba por el modesto juego de damas en un grado más intenso y beneficioso que por la totalidad de la estudiada frivolidad del ajedrez. En este último, cuyas piezas pueden moverse de formas diferentes y singulares, con valores distintos y variables, lo que sólo resulta complejo es equivocadamente confundido (error nada insólito) con lo profundo. En este caso se trata, sobre todo, de la *atención*. Si ésta cede un solo instante, se incurre en un descuido que da como resultado una pérdida o la derrota. Al ser los movimientos posibles no sólo múltiples sino también intrincados, las posibilidades de descuido se multiplican y, en nueve casos de cada diez, triunfa el jugador concentrado y no el más penetrante. En cambio, en las damas, donde hay un solo movimiento y las variaciones son mínimas, las probabilidades de inadvertencia se reducen, de modo que la atención queda de lado en cierta medida, al tiempo que las ventajas obtenidas por cada uno de los adversarios tienen su origen en una perspicacia superior.

Para decirlo de un modo menos abstracto, supongamos una partida de damas en la que las piezas son sólo cuatro y donde, como es esperable, no cabe esperar el menor descuido. Resulta obvio que (si los jugadores tienen fuerza similar) la victoria sólo puede darse por algún movimiento sutil, luego de un incisivo esfuerzo intelectual. Sin los recursos ordinarios, el analista logra penetrar en el espíritu de su oponente, se identifica con él y con frecuencia alcanza a ver de una sola ojeada el único método (a veces ridículamente simple) gracias al cual tiene la posibilidad de provocar un error o precipitar a un cálculo falso.

Hace tiempo que se ha puesto la lupa en el *whist* por su influencia sobre lo que da en llamarse "facultad del cálculo", y hombres con los más altos intelectos se han complacido en él de manera indescriptible, dejando de lado al ajedrez, acusándolo de frívolo. Sin duda alguna, no existe nada en ese orden que ponga de tal modo a prueba la facultad analítica. El mejor ajedrecista de la cristiandad no puede ser otra cosa que el mejor ajedrecista, pero la eficiencia en el *whist* implica la capacidad para triunfar en todas aquellas empresas más importantes donde la mente se enfrenta con la mente. Cuando me refiero a "eficiencia", aludo a esa perfección en el juego que incluye la aprehensión de todas las posibilidades mediante las cuales se puede obtener legítima ventaja. Estas últimas no sólo son múltiples sino multiformes, y con frecuencia yacen en capas tan profundas del pensar que el entendimiento ordinario es incapaz de alcanzarlas. Observar con atención equivale a recordar con claridad; en ese sentido, el ajedrecista concentrado jugará bien al *whist,* en tanto que las reglas de Hoyle (basadas en el mero mecanismo del juego) son comprensibles de manera general y satisfactoria. Por tanto, el hecho de tener una memoria retentiva y guiarse por «el libro» son las condiciones que por regla general se consideran como la suma del buen jugar. Pero la habilidad del analista se manifiesta en cuestiones que exceden los límites de las meras reglas. En silencio, se ocupa de acumular una suma de observaciones y deducciones. Es probable que sus compañeros hagan lo mismo, y la mayor o menor proporción de informaciones así obtenidas no se halla tanto en la validez de la deducción como en la calidad de la observación. Lo necesario consiste en saber *qué* se debe observar. Nuestro jugador no se encierra en sí mismo; ni tampoco, dado que su objetivo es el juego, rechaza deducciones procedentes de elementos externos a éste. Se ocupa de examinar el semblante de su compañero, haciendo una cuidadosa comparación con el de cada uno de sus oponentes. Tiene en cuenta el modo con que cada uno ordena las cartas en su mano; a menudo cuenta las cartas ganadoras y las adicionales por la manera con que sus tenedores las contemplan. Es capaz de advertir cada variación de fisonomía a medida que avanza el juego, reuniendo un capital de ideas nacidas de las diferencias de expresión correspondientes a la seguridad, la sorpresa, el triunfo o la contrariedad. Analizando el modo de levantar una baza juzga si la persona que la recoge será capaz de repetirla en el mismo palo. Tiene la capacidad de reconocer la jugada fingida por la manera con que se arrojan las cartas sobre el tapete. Si hay una palabra casual o descuidada, la caída o vuelta accidental de una carta, con la consiguiente ansiedad o negligencia en el acto de ocultarla, la cuenta de las bazas, con el orden de su disposición, el embarazo, la vacilación, el apuro o el temor... todo ello proporciona a su percepción, aparentemente intuitiva, indicaciones sobre la realidad del juego. Tras jugarse dos o tres manos, conoce a la perfección las cartas de cada uno, y desde ese momento utiliza las propias con tanta precisión como si los otros jugadores hubieran dado vuelta a las suyas.

La capacidad de análisis no debe confundirse con el simple ingenio, ya que si el analista es por necesidad ingenioso, con frecuencia el hombre ingenioso se muestra notablemente incapaz de analizar. La facultad constructiva o combinatoria por la cual se manifiesta habitualmente el ingenio, y a la que los frenólogos (erróneamente, a mi juicio) han asignado un órgano aparte, considerándola una facultad primordial, ha sido observada con tanta frecuencia en personas cuyo intelecto lindaba con la idiotez, que ha provocado las observaciones de los estudiosos del carácter. Hay una diferencia mucho mayor entre el ingenio y la aptitud analítica que entre la fantasía y la imaginación, pero de naturaleza estrictamente análoga. En efecto, es preciso observar que los ingeniosos poseen siempre mucha fantasía mientras que el hombre *verdaderamente* imaginativo es siempre un analista.

El relato que sigue constituye para el lector una especie de comentario de las afirmaciones precedentes.

Durante mi residencia en París, en la primavera y parte del verano de 18..., entablé un vínculo con un cierto C. Auguste Dupin. Este joven caballero pertenecía a una familia excelente —y hasta ilustre—, pero una serie de circunstancias desafortunadas lo habían reducido a tal pobreza que la energía de su carácter sucumbió ante la desgracia, llevándolo a alejarse del mundo y a perder cualquier interés en recuperar su fortuna. Merced a la cortesía de sus acreedores, retuvo una pequeña parte del patrimonio, y la renta que le producía era suficiente, gracias a una economía estricta, para auxiliar a sus necesidades, sin preocuparse de lo superfluo. Los libros eran su único lujo, y en París son fáciles de obtener.

El primero de nuestros encuentros tuvo lugar en una oscura librería de la *calle* Montmartre, donde la casualidad de que ambos anduviéramos en busca de un mismo libro —tan raro como notable— sirvió para aproximarnos. Nos encontramos una y otra vez más. Sentí un profundo interés por la menuda historia de familia que Dupin me contaba en detalle, con esa sencillez a la que se entrega un francés cuando se trata de su propia persona. Me quedé asombrado, al mismo tiempo, por la extraordinaria amplitud de su cultura; pero, sobre todo, sentí encenderse mi alma ante el exaltado fervor y la vívida frescura de su imaginación. Dado lo que yo buscaba en ese entonces en París, sentí que la compañía de un hombre semejante me resultaría un tesoro inestimable, y no vacilé en decírselo. Quedó por fin decidido que viviríamos juntos durante mi permanencia en la ciudad, y, como mi situación financiera era algo menos comprometida que la suya, logré que quedara a mi cargo alquilar y amueblar —en un estilo que armonizaba con la melancolía un tanto fantástica de nuestro carácter— una decrépita y grotesca mansión abandonada a causa de supersticiones sobre las cuales no inquirimos, y que se acercaba a su ruina en una parte aislada y solitaria del Faubourg Saint-Germain.

Si el modo de vivir que teníamos en esa casa hubiera sido conocido por el resto del mundo, nos hubieran considerado locos, aunque es probable que locos inofensivos. Nuestro aislamiento resultaba perfecto. Los visitantes no eran admitidos. El lugar de nuestro retiro era un secreto guardado celosamente para mis antiguos amigos; en cuanto a Dupin, hacía muchos años que había dejado de ver a la gente o de ser conocido en París. Sólo vivíamos para nosotros.

Una rareza de mi amigo (¿de qué otra forma llamarlo?) consistía en amar la noche por la noche misma; a esta *bizarrerie,* como a todas las otras, me dediqué a mi vez sin esfuerzo, entregándome a sus extraños caprichos con perfecto abandono. La negra divinidad no podía permanecer siempre con nosotros, pero nos era dado imitarla. Con la llegada de las primeras luces del amanecer cerrábamos las pesadas persianas de nuestra vieja casa y encendíamos un par de bujías que, fuertemente perfumadas, sólo lanzaban rayos débiles y mortecinos. Con su ayuda embarcábamos nuestros espíritus en ensoñaciones, mientras leíamos, escribíamos o conversábamos, hasta que el reloj nos daba aviso sobre la llegada de la oscuridad real. Entonces salíamos a la calle, tomados del brazo, prosiguiendo con la conversación vespertina o deambulando sin rumbo hasta muy tarde, mientras buscábamos, entre luces y sombras de la populosa ciudad, ese sinnúmero de emociones del espíritu que nos depara el observar en silencio.

En dichos momentos yo no dejaba de reparar y admirar (aunque cabía esperarlo de acuerdo con su profunda idealidad) una peculiar aptitud analítica por parte de Dupin. Parecía encontrar especial placer en ejercitarla –ya que no en exhibirla– y no dudaba en reconocerlo. Con una risita discreta se ufanaba que, frente a él, casi todos los hombres mostraban una ventana a través de la cual podía verse su corazón, y se aprestaba a demostrar sus afirmaciones con pruebas tan directas como sorprendentes del íntimo conocimiento que tenía de mí. En dichos momentos adoptaba una actitud fría y abstraída; sus ojos miraban como sin ver, mientras su voz, habitualmente de un rico registro de tenor, subía a un falsete que hubiera parecido petulante de no mediar lo deliberado y lo preciso de sus palabras. Al observarlo en esos casos, me ocurría muchas veces pensar en la antigua filosofía del *alma doble,* y me divertía con la idea de un doble Dupin: el creador y el analista.

No ha de suponerse, por lo que he dicho, que estoy rondando algún misterio o escribiendo una novela. Lo que he referido de mi amigo francés era tan sólo el producto de una inteligencia excitada o quizá enferma. Pero se apreciará con mayor claridad el carácter de sus observaciones en el curso de esos períodos mediante un ejemplo.

Una noche andábamos por una calle larga y sucia en los alrededores del Palais Royal. Estábamos inmersos en nuestras meditaciones y no habíamos pronunciado una sola sílaba durante un cuarto de hora por lo menos. De pronto, Dupin pronunció estas palabras:

—Sí, se trata de un hombrecillo muy pequeño, y se hallaría a gusto en el Théâtre des Variétés.

—No cabe duda —respondí de modo inconsciente, sin notar (pues había permanecido tan absorto en mis reflexiones) la extraordinaria forma en que coincidía mis pensamientos con los de Dupin. Sin embargo, tras un instante, me di cuenta y sentí un profundo asombro.

—Dupin —dije con gravedad—, esto va más allá de mi comprensión. Le confieso sin rodeos que estoy atónito y que apenas puedo dar crédito a mis sentidos. ¿Cómo es posible que usted supiera que yo pensaba en...?

Aquí me detuve, así podía asegurarme sin que quedaran dudas sobre si en verdad sabía en quién estaba yo pensando.

—En Chantilly —dijo Dupin—. ¿Por qué se interrumpe? Usted estaba pensando que su pequeña estatura le imposibilita hacer papeles trágicos.

Era esa, exactamente, el tema de mis reflexiones. Chantilly era un ex remendón de la calle Saint-Denis que, apasionado por el teatro, había encarnado el papel de Jerjes en la tragedia homónima de Crébillon, pero sólo había logrado que la gente se mofara de él.

—En nombre del cielo —exclamé—, dígame cuál es el método, si es que existe tal método, que le ha permitido leer en lo más profundo de mí.

De hecho, estaba aun más asombrado de lo que podía reconocer.

—El frutero —replicó mi amigo— fue quien lo llevó a la conclusión de que el remendón de suelas no tenía estatura suficiente para Jerjes *et id genus omne*[1].

—¡El frutero! ¡Usted me sorprende! No conozco ningún frutero.

—El hombre que tropezó con usted cuando entrábamos en esta calle... hará un cuarto de hora.

Entonces recordé que un frutero, que llevaba sobre la cabeza una gran cesta de manzanas, había estado a punto de derribarme por accidente cuando entrábamos en la *calle C...* la que recorríamos ahora. Pero no me era posible entender qué tenía que ver eso con Chantilly.

—Se lo explicaré —me dijo Dupin, en quien no había la menor partícula de *charlatanerie*— y, para que pueda comprender claramente, remontaremos primero el curso de sus reflexiones desde el momento en que le hablé hasta el de su choque con el frutero en cuestión. Los eslabones principales de la cadena son los siguientes: Chantilly, Orión, el doctor Nichols, Epicuro, la estereotomía, el pavimento, el frutero.

Pocas personas hay que, en algún momento de su vida, no se hayan entretenido en remontar el curso de las ideas mediante las cuales han llegado a alguna conclusión. Con frecuencia, esta tarea está llena de interés, y aquel que la emprende se queda asombrado por la distancia aparentemente ilimitada e inconexa entre el punto de partida y el de llegada. ¡Cuál habrá sido entonces mi asombro al oír las

---

1 En latín: "Y todo ese tipo de cosas".

palabras que acababa de pronunciar Dupin y reconocer que correspondían a la verdad!

–Si no estoy equivocado –continuó él–, habíamos estado hablando de caballos justamente al abandonar la *calle C...* Ese fue nuestro último tema de conversación. Cuando cruzábamos hacia esta calle, un frutero que traía una gran canasta en la cabeza pasó rápidamente a nuestro lado y le empaló a usted contra una pila de adoquines correspondiente a un pedazo de la calle en reparación. Usted pisó una de las piedras sueltas, resbaló, torciéndose ligeramente el tobillo; mostró enojo o malhumor, murmuró algunas palabras, se volvió para mirar la pila de adoquines y siguió andando en silencio. Yo no estaba especialmente atento a sus actos, pero en los últimos tiempos la observación se ha convertido para mí en una necesidad.

»Mantuvo usted los ojos clavados en el suelo, observando con aire quisquilloso los agujeros y los surcos del pavimento (por lo cual comprendí que seguía pensando en las piedras), hasta que llegamos al pequeño pasaje llamado Lamartine, que con fines experimentales ha sido pavimentado con bloques ensamblados y remachados. Aquí su rostro se animó y, al notar que sus labios se movían, no tuve dudas de que murmuraba la palabra "estereotomía", término que se ha aplicado pretenciosamente a esta clase de pavimento. Sabía que para usted sería imposible decir "estereotomía" sin verse llevado a pensar en átomos y pasar de ahí a las teorías de Epicuro; ahora bien, cuando discutimos no hace mucho este tema, recuerdo haberle hecho notar de qué curiosa manera –por lo demás desconocida– las vagas conjeturas de aquel noble griego se han visto confirmadas en la reciente cosmogonía de las nebulosas; comprendí, por tanto, que usted no dejaría de alzar los ojos hacia la gran nebulosa de Orión, y estaba seguro de que lo haría. Efectivamente, miró usted hacia lo alto y me sentí seguro de haber seguido correctamente sus pasos hasta ese momento. Pero en la amarga crítica a Chantilly que apareció en el *Musée* de ayer, el escritor satírico hace algunas penosas alusiones al cambio de nombre del remendón antes de calzar los coturnos, y cita un verso latino sobre el cual hemos hablado muchas veces. Me refiero al verso:

Perdidit antiquum litera prima sonum[2]

»Le dije a usted que se refería a Orión, que en un tiempo se escribió Urión; y dada cierta acritud que se mezcló en aquella discusión, estaba seguro de que usted no la había olvidado. Era claro, pues, que no dejaría de combinar las dos ideas de Orión y Chantilly. Que así lo hizo, lo supe por la sonrisa que pasó por sus labios. Pensaba usted en la inmolación del pobre zapatero. Hasta ese momento había caminado algo encorvado, pero de pronto le vi erguirse en toda su estatura. Me sentí seguro de que estaba pensando en la diminuta figura de Chantilly. Y en este punto interrumpí sus meditaciones para hacerle notar que, en efecto, el tal Chantilly era muy pequeño y que estaría mejor en el Théâtre des Variétés.

Poco tiempo después de este episodio, leíamos una edición nocturna de la Gazette des Tribunaux cuando los siguientes párrafos atrajeron nuestra atención:

«EXTRAÑOS ASESINATOS.—Esta madrugada, cerca de las tres, los vecinos del barrio Saint-Roch se vieron arrancados de su descanso por los espantosos alaridos procedentes del cuarto piso de una casa situada en la calle Morgue, ocupada por *madame* L'Espanaye y su hija, *mademoiselle* Camille L'Espanaye. Al resultar

---

2 En latín: "La primera letra arruinó el antiguo sonido".

imposible el acceso a la casa y tras varios minutos perdidos, finalmente se forzó la puerta con una ganzúa y ocho o diez vecinos ingresaron acompañados por dos gendarmes. Para entonces los gritos habían cesado, pero cuando el grupo subía el primer tramo de la escalera se oyeron dos o más voces que discutían con violencia y que parecían llegar desde la parte superior de la casa. Una vez arribados al segundo piso, las voces se acallaron al mismo tiempo, lapso durante el cual reinó una profunda calma. Los vecinos decidieron separarse y comenzaron a recorrer las habitaciones. Al arribar a una gran cámara situada en la parte posterior del cuarto piso (cuya puerta, cerrada por dentro con llave, tuvo que ser forzada), presenciaron un espectáculo que les produjo horror y estupefacción.

»El cuarto se encontraba en un completo desorden: los muebles, rotos, habían sido lanzados en todas direcciones. El colchón de la única cama se hallaba tirado en mitad del piso. Sobre una silla había una navaja manchada de sangre. En la chimenea, dos o tres largos y espesos mechones de cabello humano también empapados en sangre y que parecían haber sido arrancados de raíz. En el piso se encontraron cuatro napoleones, un aro de topacio, tres cucharas grandes de plata, tres más pequeñas de metal d'Alger, y dos bolsas conteniendo casi cuatro mil francos en oro. Los cajones de una cómoda ubicada en un ángulo habían sido abiertos y aparentemente saqueados, aunque en ellos quedaban numerosas prendas. Se descubrió una pequeña caja fuerte de hierro debajo de la cama (y no del colchón), la cual se encontraba abierta y con la llave puesta en la cerradura. Estaba vacía, excepto por unas cartas viejas y papeles que no revestían importancia.

»No había huella alguna de *madame* L'Espanaye, pero al notarse la presencia de una insólita cantidad de hollín al pie de la chimenea se procedió a registrarla, encontrándose (¡algo espantoso de describir!) el cadáver de su hija, cabeza abajo, que había sido colocado a la fuerza en la estrecha abertura y empujado hacia arriba. El cuerpo aún mantenía calor. Al examinarlo se advirtieron numerosas excoriaciones, producidas, sin lugar a dudas, por la violencia con la que fuera introducido y debido a la cual fue necesario arrancarlo de allí. El rostro evidenciaba profundos arañazos y la garganta presentaba contusiones negruzcas y huellas profundas de uñas, como si la víctima hubiera sido sufrido estrangulamiento.

»Tras una búsqueda meticulosa en cada rincón de la casa, sin que apareciera nada nuevo, los vecinos ingresaron en un pequeño patio pavimentado de la parte posterior del edificio y hallaron el cadáver de la señora anciana, la cual había sido degollada con tal salvajismo que, al tratar de levantar el cuerpo, la cabeza se desprendió del tronco. Horribles mutilaciones aparecían en la cabeza y en el cuerpo, y este último apenas mantenía su forma humana.

»Hasta el momento no se ha encontrado el menor indicio que permita resolver tan siniestro misterio».

La edición del día siguiente contenía los siguientes detalles adicionales:

«LA TRAGEDIA DE LA CALLE MORGUE.– Distintas personas fueron interrogadas con relación a este terrible y extraordinario suceso, pero nada ha trascendido que pueda arrojar alguna luz sobre él. A continuación presentamos las declaraciones obtenidas:

»Pauline Dubourg, lavandera, manifestó conocer desde hacía tres años a las dos víctimas, ocupándose de lavar sus ropas. La anciana y su hija parecían tener un buen entendimiento mutuo y se mostraban sumamente cariñosas entre sí. Proporcionaban una buena paga. Desconocía su modo de vida y por qué medios subsistían. Creía que *madame* L. adivinaba el futuro. Podría tener dinero ahorrado. Nunca vio a otras personas en la casa las veces que fue a buscar la ropa o la devolvía. Estaba segura de que no tenían ningún criado o criada. Dijo que en la casa no había ningún mueble, salvo en el cuarto piso.

»Pierre Moreau, comerciante de tabaco, declaró que vendía regularmente, desde hace cuatro años, pequeñas cantidades de tabaco y de rapé a *madame* L'Espanaye. Nació en el barrio y allí ha vivido siempre. La difunta y su hija, desde hacía más de seis años, habitaban la casa donde se encontraron los cadáveres. Anteriormente vivía en ella un joyero, que alquilaba las habitaciones superiores a diversas personas. La casa era de propiedad de *madame* L., quien se sintió disgustada por los abusos que cometía su inquilino y ocupó personalmente la casa, negándose a alquilar alguna parte. La señora anciana mostraba signos de senilidad. El testigo vio a su hija unas cinco o seis veces durante esos seis años. Ambas llevaban una vida muy retirada y pasaban por tener dinero. Había oído decir a los vecinos que *madame* L. adivinaba el futuro, pero no lo creía. Nunca vio entrar a nadie, excepto a la anciana y su hija, a un joven de servicio que estuvo allí una o dos veces, y a un médico que hizo ocho o diez visitas.

»Muchos otros vecinos han proporcionado testimonios coincidentes. No se ha hablado de nadie que frecuentara la casa. Se ignora si *madame* L. y su hija tenían parientes vivos. Pocas veces se abrían las persianas de las ventanas delanteras. Las de la parte posterior estaban siempre cerradas, salvo las de la gran habitación en la parte trasera del cuarto piso. La casa se hallaba en excelente estado y no era muy antigua.

»Isidore Muset, gendarme, declaró que fue llamado hacia las tres de la mañana y que, al llegar al lugar, se encontró con unas veinte o treinta personas que intentaban entrar a la casa. Finalmente violentó la entrada (usó una bayoneta y no una ganzúa). No tuvo muchas dificultades en abrirla, ya que era una puerta de dos batientes sin pasadores, ni arriba ni abajo. Los alaridos continuaron hasta que se abrió la puerta, para luego finalizar repentinamente. Parecían gritos de persona (o personas) que estuvieran sufriendo los dolores más terribles; eran gritos agudos y largos, no breves y precipitados. El testigo subió las escaleras en primer lugar. Al llegar al primer descanso oyó dos voces que discutían enérgicamente; una de ellas era ruda y la otra mucho más aguda y muy extraña. Pudo entender algunas palabras que provenían de la primera voz, correspondientes a un francés. Estaba seguro de que no se trataba de una voz de mujer. Pudo distinguir las palabras *sacré* y *diable*. La voz más aguda era de un extranjero. No podría asegurar si se trataba de un hombre o una mujer. No entendió lo que decía, pero tenía la impresión de que hablaba en español. El estado de la habitación y de los cadáveres fue descripto por este testigo del mismo modo que lo hicimos ayer.

»Henri Duval, vecino, platero de profesión, declara que formaba parte del primer grupo que entró en la casa. Certifica en general la declaración de Muset. Tan pronto forzaron la puerta, la cerraron nuevamente para mantener alejada a la gente que, pese a las altas horas de la noche, se continuaba acercando con rapidez. El testigo piensa que la voz más aguda pertenecía a un italiano. Está seguro de que no se trataba de un francés. No puede asegurar que se tratara de una voz masculina. Pudo ser la de una mujer. No está familiarizado con la lengua italiana. No alcanzó a distinguir las palabras, pero por la entonación está convencido de que quien hablaba era italiano. Conocía a *madame* L. y a su hija. Había conversado varias veces con ellas. Estaba seguro de que la voz aguda no era la de ninguna de las víctimas.

»Odenheimer, restaurador. Este testigo se ofreció voluntariamente a declarar. Como no habla francés, su testimonio contó con un intérprete. Es originario de Amsterdam. Pasaba frente a la casa cuando se oyeron los gritos, que duraron varios minutos, probablemente diez. Eran prolongados y agudos, tan escalofriantes como penosos de oír. El testigo fue uno de los que entraron en el edificio. Corroboró las declaraciones anteriores en todos sus detalles, salvo uno. Estaba seguro de que la voz más aguda pertenecía a un hombre y que se trataba de un francés. No pudo entender las palabras que decía. Eran fuertes y precipitadas, desiguales y en apariencia eran pronunciadas con miedo pero también con enojo. La voz era áspera; no tanto aguda como áspera. El testigo no la calificaría de aguda. La voz más gruesa dijo varias veces: *sacré, diable,* y una vez *Mon Dieu!*

»Jules Mignaud, banquero, de la firma Mignaud e hijos ubicada en la calle Deloraine. Es el mayor de los Mignaud. *Madame* L'Espanaye era dueña de algunos bienes. Había abierto una cuenta en su banco durante la primavera del año 18... (ocho años antes). Frecuentes depositaba pequeñas sumas. No había hecho ningún retiro hasta tres días antes de su muerte, cuando en persona extrajo la suma de 4.000 francos. La suma le fue pagada en oro y un empleado fue con ella hasta su domicilio.

»Adolphe Lebon, empleado de Mignaud e hijos, declara que dicho día acompañó hasta su residencia a *madame* L'Espanaye, llevando los 4.000 francos en dos bolsas. Una vez abierta la puerta, mademoiselle L. recogió uno de los sacos, mientras la anciana señora se ocupaba del otro. Por su parte, el testigo se despidió y se marchó. No había nadie en la calle a esa hora. Se trata de una calle pequeña y muy solitaria.

»William Bird, sastre, declara haber formado parte del grupo que ingresó en la casa. Es inglés de nacionalidad. Hace dos años que vive en París. Fue uno de los primeros en subir las escaleras. Oyó las voces de una discusión. La más ruda era la de un francés. Pudo entender varias palabras, pero ya no se acuerda de todas. Oyó claramente: *sacré* y *mon Dieu*. En ese momento se oía un ruido como si varias personas estuvieran peleando, como un forcejeo, como si algo fuese arrastrado. La voz aguda era muy fuerte, mucho más que la voz ruda. Está seguro de que no se trataba de la voz de un inglés. Parecía la de un alemán. Podía ser una voz de mujer. El testigo no entiende el idioma alemán.

»Cuatro de los testigos nombrados más arriba fueron interrogados nuevamente, declarando que la puerta de la habitación donde se encontró el cadáver de mademoiselle L. estaba cerrada por dentro cuando arribaron a ella. Reinaba un profundo silencio; no se escuchaban quejidos ni rumores de ninguna especie. No se vio a nadie en el momento de forzar la puerta. Las ventanas, tanto de la habitación del frente como de la trasera, estaban cerradas y aseguradas con firmeza por dentro. Entre ambas habitaciones había una puerta cerrada, pero no estaba cerrada con llave. La puerta que comunicaba la habitación del frente con el corredor había sido cerrada con llave por dentro. Un cuarto pequeño situado en el frente del cuarto piso, al comienzo del corredor, apareció abierto, con la puerta entornada. La habitación se hallaba repleta de camas viejas, cajones y cosas por el estilo. Se procedió a inspeccionar cada uno de ellos, no se dejó sin examinar un solo centímetro de la casa. Se enviaron deshollinadores para que analizaran las chimeneas. La casa tiene cuatro pisos, con *mansardes*. Una trampa que da al techo estaba firmemente asegurada con clavos y no parece haber sido abierta durante años. Los testigos no están de acuerdo sobre el tiempo transcurrido entre el momento en que escucharon las voces discutiendo y cuando por fin abrieron la puerta de la habitación. Algunos aseguran que pasaron tres minutos; otros calculan que fueron cinco. Resultó muy difícil violentar la puerta.

»Alfonso Garcio, empresario de servicios fúnebres, vive en la calle Morgue. Es de nacionalidad española. Formaba parte del grupo que ingresó en la casa. No subió las escaleras. Tiene problemas nerviosos y teme las consecuencias de tanto alboroto. Oyó las voces que discutían. La más ruda era la de un francés. No alcanzó a entender lo que decía. La voz aguda era la de un inglés; de eso estaba seguro. No habla inglés, pero lo asegura basándose en la entonación.

»Alberto Montani, confitero, declara que fue de los primeros en subir las escaleras. Escuchó las voces en cuestión. La voz ruda era la de un francés. Pudo entender varias palabras. El que hablaba parecía echar en cara algo. No pudo comprender las palabras dichas por la voz más aguda, que hablaba muy rápido y entrecortado. Piensa que podría tratarse de un ruso. Ratifica los otros testimonios. Es de nacionalidad italiana. Nunca entabló conversación con alguien nacido en Rusia.

»Interrogados otra vez, varios testigos certificaron que las chimeneas de todas las habitaciones eran demasiado angostas para permitir el paso de un ser humano. Se pasaron "deshollinadores" —cepillos cilíndricos similares a los que se utilizan en la limpieza de chimeneas— por cada uno de los tubos presentes en la casa. No hay pasaje alguno en los fondos por el cual alguien hubiera podido descender mientras el grupo subía las escaleras. El cuerpo de mademoiselle L'Espanaye estaba encajado con tanta firmeza en la chimenea que no pudo ser extraído sino hasta que cuatro o cinco personas lo hicieron juntas.

»Paul Dumas, médico, declara que fue llamado al amanecer para examinar los cadáveres de las víctimas.

Los mismos habían sido colocados sobre el colchón del lecho correspondiente a la habitación donde se encontró a *mademoiselle* L. El cuerpo de la joven se encontraba lleno de contusiones y excoriaciones. El hecho de que hubiese sido metido en la chimenea bastaba para explicar las marcas. La garganta se encontraba muy excoriada. Había varios arañazos profundos debajo del mentón, acompañados de una serie de manchas lívidas que eran producto, evidentemente, de la presión de unos dedos. El rostro estaba horriblemente pálido y los ojos se salían de las órbitas. La lengua aparecía cortada a medias. En la zona del estómago se descubrió una gran contusión, producida, en apariencia, por la presión de una rodilla. El doctor Dumas opinó que mademoiselle L'Espanaye fue estrangulada por una o varias personas.

»El cuerpo de la madre estaba mutilado de un modo horrible. Cada uno de los huesos de la pierna y el brazo derechos se hallaba fracturado en mayor o menor grado. La tibia izquierda había quedado reducida a astillas, así como todas las costillas del lado izquierdo. El cuerpo estaba cubierto de contusiones y se encontraba descolorido. No era posible especificar el arma con que se habían provocado esas heridas. Un pesado garrote o una barra ancha de hierro, quizá una silla, cualquier arma grande, pesada y contundente, en manos de un hombre de gran robustez, podía haber dejado esas marcas. Sería imposible que una mujer pudiera infligir heridas como ésas, con cualquier arma que fuese. La cabeza de la extinta se hallaba separada del cuerpo y, al igual que el resto, repleta de contusiones. Era evidente que la garganta había sido cortada con un instrumento de buen filo, posiblemente una navaja.

»Alexandre Etienne, cirujano, fue llamado al mismo tiempo que el doctor Dumas, con el objetivo de que examinara los cuerpos. Confirmó el testimonio y las opiniones de este último.

»No se ha obtenido ningún otro dato de importancia, a pesar de haberse interrogado a varias otras personas. Jamás se ha cometido en París un asesinato tan misterioso y tan enigmático en sus detalles... si es que en realidad se trata de un asesinato. La policía está perpleja, lo cual no es frecuente en asuntos de esta naturaleza. Pero resulta imposible hallar la más pequeña clave del misterio».

La edición vespertina del diario declaraba que en el barrio Saint-Roch reinaba una intensa excitación, que se había llevado a cabo un nuevo y minucioso análisis del lugar del hecho, mientras se interrogaba a nuevos testigos, pero que no había novedades. Sin embargo, en un párrafo final se agregaba que un tal Adolphe Lebon había sido arrestado y llevado a prisión, aunque nada parecía acusarlo, a juzgar por los hechos descriptos.

Dupin estaba particularmente interesado en el desarrollo de los eventos; o por lo menos así me pareció por sus modos, pues no hizo el menor comentario. Sólo tras haberse anunciado el arresto de Lebon me pidió mi opinión sobre los asesinatos.

No tuve otra opción que sumarme a la de todo París y aceptar que los consideraba un misterio sin solución. No hallaba ningún modo de seguir el rastro del asesino.

—No debemos partir de los modos que resultan de una investigación tan básica —dijo Dupin—. La policía parisiense, tan elogiada por su perspicacia, es muy astuta pero nada más. No tiene un método, excepto el del momento. Decide muchas disposiciones ostentosas, pero a menudo se adaptan tan mal a su objetivo que recuerdan a *Monsieur* Jourdain, que pedía *sa robe de chambre... pour mieux entendre la musique*[3]. Los resultados que se logran con frecuencia son asombrosos, pero en su mayoría se alcanzan por simple diligencia y actividad. Cuando éstas son insuficientes, todos sus planes fracasan. Vidocq, por ejemplo, era hombre de excelentes conjeturas y perseverante. Pero como su pensamiento carecía de suficiente educación, erraba continuamente por el excesivo ardor de sus investigaciones. Su visión se veía dañada por mirar el objeto desde demasiado cerca. Quizá alcanzaba a ver uno o dos puntos con singular sutileza, pero procediendo así perdía el conjunto de la cuestión. En el fondo se trataba de un exceso de profundidad, y la verdad no siempre se encuentra dentro de un pozo. Por el contrario, sostengo que, en lo que relativo al conocimiento más importante, es invariablemente superficial. La profundidad corresponde a los valles, donde la buscamos, y no a las cimas montañosas, donde se la encuentra. Las formas y fuentes de este tipo de error se ejemplifican muy bien en la contemplación de los cuerpos celestes. Al observar una estrella de una ojeada, de modo oblicuo, volviendo hacia ella la porción exterior de la retina (mucho más sensible a las impresiones luminosas débiles que la parte interior), se verá la estrella con claridad y se apreciará plenamente su brillo, que se empaña ni bien la contemplamos de lleno. Es cierto que en este último caso hay una mayor cantidad de rayos que alcanzan nuestra vista, pero la porción exterior posee una capacidad de recepción mucho más refinada. Por causa de una indebida profundidad confundimos y debilitamos el pensamiento, y Venus misma puede llegar a desaparecer del cielo si la observamos de manera demasiado sostenida, con excesiva concentración o de un modo directo.

---

3   En francés: "Su salto de cama para entender mejor la música".

»Con relación a esos asesinatos, llevemos a cabo un examen en forma personal antes de forjarnos una opinión. La encuesta nos servirá de entretenimiento (me pareció que el término era extraño, aplicado al caso, pero no dije nada). Además, Lebon me prestó cierta vez un servicio por el cual le estoy agradecido. Iremos a estudiar el terreno con nuestros propios ojos. Conozco a G..., el prefecto de policía, y no habrá dificultad en obtener el permiso necesario.

La autorización fue concedida y nos dirigimos de inmediato a la calle Morgue. Se trata de uno de esos pasajes insignificantes que corren entre la calle Richelieu y la calle Saint-Roch. Caía el sol cuando llegamos, pues el barrio estaba considerablemente lejos de nuestra residencia. Encontramos la casa con facilidad: aún había varias personas mirando las persianas cerradas desde la vereda de enfrente. Era una típica casa parisiense, con una puerta de entrada y una casilla de cristales con ventana corrediza, correspondiente a la *loge du concierge*. Antes de entrar recorrimos la calle, doblamos por un pasaje y, volviendo a doblar, pasamos por la parte trasera del edificio, mientras Dupin examinaba el resto del barrio, así como la casa, con una atención minuciosa cuyo objetivo no tenía yo posibilidad de adivinar.

Volviendo sobre nuestros pasos retornamos a la parte de adelante y, luego de llamar y mostrar nuestras credenciales, los agentes que estaban de guardia permitieron nuestro ingreso. Subimos las escaleras hasta llegar a la habitación donde se había encontrado el cuerpo de *mademoiselle* L'Espanaye, y donde aún yacían ambas víctimas. Como es natural, el desorden de la habitación había sido respetado. No encontré nada que no hubiese sido detallado en la *Gazette des Tribunaux*. Dupin lo inspeccionaba todo, sin exceptuar los cuerpos de las víctimas. Pasamos luego a las otras habitaciones y al patio; un gendarme nos acompañaba a todas partes. El examen nos tuvo ocupados hasta que oscureció, y se había hecho de noche cuando salimos. En el trayecto de regreso, mi amigo se detuvo algunos minutos en las oficinas de uno de los diarios parisienses.

He dicho ya que sus caprichos eran muchos y variados, y que *je les ménageais* (pues no hay traducción posible de la frase). En esta oportunidad, Dupin se negó a toda conversación relacionada con los asesinatos hasta el mediodía del día siguiente. Entonces, de pronto, me preguntó si había observado alguna cosa "peculiar" en el escenario de aquel horror.

Había algo en su manera de acentuar la palabra que me provocó escalofríos, aunque no podría decir por qué.

–No, nada peculiar –dije–. Por lo menos, nada que antes no hayamos leído en el diario.

–Me temo –repuso Dupin– que la *Gazette* no haya penetrado en el insólito horror de este asunto. Pero hagamos a un lado las opiniones vanas de ese diario. Tengo la impresión de que este misterio se considera imposible de resolver por las mismas razones que deberían llevarnos a considerarlo fácilmente solucionable; me refiero a lo excesivo, a lo *outré* de sus características. La policía se muestra confundida porque en apariencia no hay un móvil, y no por el asesinato en sí, sino por su atrocidad. También está perpleja por la aparente imposibilidad de conciliar las voces que se oyeron disputando, con el hecho de que en lo alto sólo se encontró a la difunta *mademoiselle* L'Espanaye, además de que era imposible escapar de la casa sin que el grupo que ascendía la escalera lo notara. El salvaje desorden de la habitación; el cadáver en la chimenea, cabeza abajo; la horrible mutilación del cuerpo de la anciana... Todos estos elementos, junto con los ya mencionados y otros que no necesito mencionar, han bastado para paralizar la acción de los investigadores policiales y confundir por completo su tan alabada perspicacia. Han caído en el error grueso pero común de confundir lo insólito con lo incomprensible. Pero, precisamente, a través de esas desviaciones del plano ordinario de las cosas es que la razón podrá abrirse paso, si es posible, en la búsqueda de la verdad. En investigaciones de este tipo que efectuamos no debería preguntarse tanto «qué ha ocurrido», sino «qué hay en lo ocurrido que no se parezca a nada ocurrido anteriormente». En una palabra, la facilidad con la cual llegaré o he llegado a la solución de este misterio se halla en razón directa de la aparente imposibilidad de resolución a ojos de la policía.

Desconcertado y en silencio, me quedé mirando a mi amigo.

–Ahora estoy esperando –continuó Dupin, mirando hacia la puerta de nuestra habitación– a alguien que, si bien no es el autor de esta carnicería, de alguna manera debe de haberse visto envuelto en su ejecución. Es probable que sea inocente de la parte más horrible de los crímenes. Confío en que mi suposición sea acertada, pues en ella se apoya toda mi esperanza de descifrar completamente el enigma. Espero que ese hombre llegue en cualquier momento... y en esta habitación. Es verdad que puede no venir, pero lo más probable es que llegue. En ese caso, habrá que retenerlo. Aquí hay unas pistolas; ambos sabemos lo que se puede hacer con ellas cuando la ocasión se presenta.

Tomé las pistolas sabiendo apenas lo que hacía y sin poder creer lo que estaba oyendo, mientras Dupin, como si monologara, seguía con sus reflexiones. Ya he hablado acerca de su actitud abstraída en circunstancias así. Sus palabras se dirigían a mí, pero su voz, aunque no era forzada, tenía esa entonación que se emplea habitualmente para dirigirse a alguien que se halla muy lejos. Sus ojos, privados de expresión, sólo miraban la pared.

–Las voces que discutían y fueron oídas por el grupo que trepaba la escalera –dijo– no eran las de las dos mujeres, como ha sido bien probado por los testigos. Con esto queda eliminada toda posibilidad de que la anciana señora haya matado a su hija, suicidándose luego. Menciono esto por razones metódicas, ya que la fuerza de *madame* de L'Espanaye hubiera sido por completo insuficiente para introducir el cuerpo de su hija en la chimenea, tal como fue encontrado, amén de que la naturaleza de las heridas observadas en su cadáver excluye toda idea de suicidio. El asesinato, entonces, fue cometido por terceros, y a éstos pertenecían las voces que se escucharon mientras disputaban. Permítame ahora llamarle la atención, no sobre las declaraciones referentes a dichas voces, sino a *algo peculiar* en esas declaraciones. ¿No lo advirtió usted?

Hice notar que, mientras todos los testigos coincidían en que la voz más ruda debía ser la de un francés, existían grandes desacuerdos sobre la voz más aguda o –como la calificó uno de ellos– la voz áspera.

–Tal es el testimonio en sí –dijo Dupin–, pero no su peculiaridad. Usted no ha observado nada característico. Y, sin embargo, *había algo* que observar. Como bien ha dicho, los testigos coinciden sobre la voz ruda. Pero, con respecto a la voz aguda, la peculiaridad no consiste en que estén en desacuerdo, sino en que un italiano, un inglés, un español, un holandés y un francés han tratado de describirla, y cada uno de ellos se ha referido a una voz *extranjera*. Cada uno de ellos está seguro de que no se trata de la voz de un compatriota. Cada uno la vincula, no a la voz de una persona perteneciente a una nación cuyo idioma conoce, sino a la inversa. El francés supone que es la voz de un español, y agrega que "podría haber distinguido algunas palabras si *hubiera sabido español*".

El holandés sostiene que se trata de un francés, pero nos enteramos de que *como no habla francés, dio su testimonio mediante un intérprete*. El inglés piensa que se trata de la voz de un alemán, pero el testigo *no comprende el alemán*. El español "está seguro" de que se trata de un inglés, pero "juzga basándose en la entonación", ya que *no comprende el inglés*. El italiano cree que es la voz de un ruso, pero *nunca habló con un nativo de Rusia*. Un segundo testigo francés difiere del primero y está seguro de que se trata de la voz de un italiano. No *está familiarizado con la lengua italiana,* pero al igual que el español, "está convencido por la entonación". Ahora bien: ¡cuán extrañamente insólita tiene que haber sido esa voz para que pudieran reunirse semejantes testimonios! ¡Una voz en cuyos *tonos* los ciudadanos de las cinco grandes divisiones de Europa no pudieran reconocer nada familiar! Me dirá usted que podía tratarse de la voz de un asiático o un africano. Ni unos ni otros abundan en París, pero, sin negar esa posibilidad, me limitaré a llamarle la atención sobre tres puntos. Un testigo califica la voz de "áspera, más que aguda". Otros dos señalan que era "precipitada y desigual". Ninguno de los testigos se refirió a palabras reconocibles, a sonidos que parecieran palabras.

»No sé –continuó Dupin– la impresión que pudo haber causado hasta ahora en su entendimiento, pero no vacilo en asegurar que cabe extraer deducciones legítimas de esta parte del testimonio –la que se refiere a las voces ruda y aguda–, suficientes para crear una sospecha que debe de orientar todos los pasos futuros de la investigación del misterio. Digo "deducciones legítimas", sin expresar plenamente lo que pienso. Quiero dar a entender que las deducciones son las *únicas* que corresponden, y que la sospecha surge *inevitablemente* como resultado de ellas. Aún no le diré cuál es esta sospecha. Pero sepa que, en cuanto a mí, bastó para dar forma definida y tendencia determinada a mis investigaciones en el lugar del hecho.

«Transportémonos ahora con la fantasía a esa habitación. ¿Qué buscaremos en primer lugar? Los medios de evasión empleados por los asesinos. Supongo que estoy en lo cierto si digo que ninguno de los dos cree en acontecimientos sobrenaturales. *Madame* y *mademoiselle* L'Espanaye no fueron asesinadas por espíritus. Los autores del hecho eran de carne y hueso, y escaparon por medios materiales. ¿Cómo, entonces? Por fortuna, sólo hay una manera de razonar sobre este punto, y esa manera *debe* conducirnos a una conclusión definida. Examinemos uno por uno los posibles medios de escape. Es evidente que los asesinos se hallaban en el cuarto donde se encontró a *mademoiselle* L'Espanaye, o por lo menos en la pieza contigua, en momentos en que el grupo subía las escaleras. Vale decir que debemos buscar las salidas en esos dos aposentos. La policía ha levantado los pisos, los techos y la mampostería de las paredes en todas direcciones. No existe salida secreta que pudiera escapar a sus observaciones. Pero como no confío en sus ojos, miré el lugar con los míos. Efectivamente, no había salidas secretas. Las dos puertas que comunican las habitaciones con el corredor estaban bien cerradas, con las llaves por dentro. Veamos ahora las chimeneas. Aunque de diámetro ordinario en los primeros ocho o diez pies por encima de los hogares, más arriba los tubos no permitirían el paso del cuerpo de un gato grande. Así queda establecida la imposibilidad absoluta de escape por las vías mencionadas, y nos vemos reducidos a las ventanas. Nadie podría haber escapado por la del cuarto delantero, ya que la muchedumbre reunida lo hubiese visto. Los asesinos tienen que haber pasado, entonces, por las de la pieza trasera. Arribados a esta conclusión de manera tan inequívoca, no nos corresponde, como razonadores que somos, rechazarla por su aparente imposibilidad. Lo único que podemos hacer es probar que esas aparentes "imposibilidades" en realidad no lo son.

»Hay dos ventanas en el cuarto. Contra una de ellas no hay ningún mueble que la obstruya, y es claramente visible. La porción inferior de la otra queda oculta por la cabecera del pesado lecho, que ha sido arrimado a ella. La primera ventana apareció firmemente asegurada desde dentro. Resistió los más violentos esfuerzos de quienes trataron de levantarla. En el marco, a la izquierda, había una gran perforación de barreno, y en ella un muy sólido clavo hundido casi hasta la cabeza. Al examinar la otra ventana se vio que había un clavo colocado en forma similar; todos los esfuerzos por levantarla fueron igualmente inútiles. La policía, entonces, sintió plena seguridad de que la huida no se había producido por ese lado. Y, por tanto, consideró superfluo extraer los clavos y abrir las ventanas.

»Mi examen fue algo más detallado, y eso por la razón que acabo de darle: allí era el caso de probar que todas las aparentes imposibilidades no eran tales en realidad. Seguí razonando de la siguiente manera... a posteriori. Los asesinos escaparon desde una de esas ventanas. Por tanto, no pudieron asegurar nuevamente los marcos desde el interior, tal como fueron encontrados (consideración que, dado lo obvio de su carácter, interrumpió la búsqueda de la policía en ese terreno). Los marcos estaban asegurados. Es necesario, pues, que tengan una manera de asegurarse por sí mismos. La conclusión no admitía escapatoria. Me acerqué a la ventana que tenía libre acceso, extraje con alguna dificultad el clavo y traté de levantar el marco. Tal como lo había anticipado, resistió a todos mis esfuerzos. Comprendí entonces que debía de haber algún resorte oculto, y la corroboración de esta idea me convenció de que por lo menos mis premisas eran correctas, aunque el detalle referente a los clavos continuara siendo misterioso. Un examen detallado no tardó en revelarme el resorte secreto. Lo oprimí y, satisfecho de mi descubrimiento, me abstuve de levantar el marco.

»Volví a poner el clavo en su sitio y lo observé atentamente. Una persona que escapa por la ventana podía haberla cerrado nuevamente, y el resorte habría asegurado el marco. Pero, ¿cómo reponer el clavo? La conclusión era evidente y estrechaba una vez más el campo de mis investigaciones. Los asesinos *tenían* que haber escapado por la otra ventana. Suponiendo, pues, que los resortes fueran idénticos en las dos ventanas, como parecía probable, *necesariamente* tenía que haber una diferencia entre los clavos, o por lo menos en su manera de estar colocados. Trepando al armazón de la cama, examiné minuciosamente el marco de sostén de la segunda ventana. Pasé la mano por la parte posterior, descubriendo en seguida el resorte que, tal como había supuesto, era idéntico a su vecino. Luego miré el clavo. Era tan sólido como el otro y en apariencia estaba fijo de la misma manera y hundido casi hasta la cabeza.

»Usted pensará que me sentí confundido, pero si así fuera es que no ha comprendido la naturaleza de mis inducciones. Para usar una frase deportiva, hasta entonces no había cometido falta. No había perdido la pista un solo instante. Los eslabones de la cadena no tenían ninguna falla. Había perseguido el secreto hasta su última conclusión: y esa conclusión *era el clavo*. Ya he dicho que tenía todas las apariencias de su vecino de la otra ventana; pero el hecho, por más concluyente que pareciera, resultaba de una absoluta nulidad comparado con la consideración de que allí, en ese punto, se acababa el hilo conductor. "Tiene que haber algo defectuoso en el clavo", pensé. Al tocarlo, su cabeza quedó entre mis dedos juntamente con un cuarto de pulgada de la espiga. El resto de la espiga se hallaba dentro del agujero, donde se había roto. La fractura era muy antigua, pues los bordes aparecían herrumbrados, y parecía haber sido hecho de un martillazo, que había hundido parcialmente la cabeza del clavo en el marco inferior de la ventana. Volví a colocar cuidadosamente la parte de la cabeza en el lugar de donde la había sacado, y vi que el clavo daba la exacta impresión de estar entero; la fisura resultaba invisible. Apretando el resorte, levanté ligeramente el marco; la cabeza del clavo subió con él, sin moverse de su lecho. Cerré la ventana, y el clavo dio otra vez la impresión de estar dentro.

»Hasta ahora, el enigma quedaba explicado. El asesino había huido por la ventana que daba a la cabecera del lecho. Cerrándose por sí misma (o quizá ex profeso) la ventana había quedado asegurada por su resorte. Y la resistencia ofrecida por éste había inducido a la policía a suponer que se trataba del clavo, dejando así de lado toda investigación suplementaria.

»El segundo aspecto consiste en el modo del descenso. El paseo que dimos con usted por la parte trasera de la casa me dejó satisfecho al respecto. A unos cinco pies y medio de la ventana en cuestión corre una varilla de pararrayos. Desde esa varilla hubiera resultado imposible alcanzar la ventana, y mucho menos introducirse por ella. Observé, sin embargo, que las persianas del cuarto piso pertenecen a esa curiosa especie que los carpinteros parisienses denominan *ferrades;* es un tipo rara vez empleado en la actualidad, pero que se ve con frecuencia en casas muy viejas de Lyon y Bordeaux. Se las fabrica como una puerta ordinaria (de una sola hoja, y no de doble batiente), con la diferencia de que la parte inferior tiene celosías o tablillas que ofrecen excelente asidero para las manos. En este caso las persianas alcanzan un ancho de tres pies y medio. Cuando las vimos desde la parte posterior de la casa, ambas estaban entornadas, es decir, en ángulo recto con relación a la pared. Es probable que también los policías hayan examinado los fondos del edificio; pero, si así lo hicieron, miraron las *ferrades* en el ángulo indicado, sin darse cuenta de su gran anchura; por lo menos no la tomaron en cuenta. Sin duda, seguros de que por esa parte era imposible toda fuga, se limitaron a un examen muy sumario. Para mí, sin embargo, era claro que si se abría del todo la persiana correspondiente a la ventana situada sobre el lecho, su borde quedaría a unos dos pies de la varilla del pararrayos. También era evidente que, desplegando tanta agilidad como coraje, se podía llegar hasta la ventana trepando por la varilla. Estirándose hasta una distancia de dos pies y medio (ya que suponemos la persiana enteramente abierta), un ladrón habría podido sujetarse firmemente de las tablillas de la celosía. Abandonando entonces su sostén en la varilla, afirmando los pies en la pared y lanzándose vigorosamente hacia adelante habría podido hacer girar la persiana hasta que se cerrara; si suponemos que la ventana estaba abierta en este momento, habría logrado entrar así en la habitación.

»Le pido que tenga especialmente en cuenta que me refiero a un insólito grado de vigor, capaz de llevar a cabo una hazaña tan azarosa y difícil. Mi intención consiste en demostrarle, primeramente, que el hecho pudo ser llevado a cabo; pero, en segundo lugar, y *muy especialmente,* insisto en llamar su atención sobre el carácter *extraordinario,* casi sobrenatural, de ese vigor capaz de cosa semejante.

»Usando términos judiciales, usted me dirá sin duda que para "redondear mi caso" debería subestimar y no poner de tal modo en evidencia la agilidad que se requiere para dicha proeza. Pero la práctica de los tribunales no es la de la razón. Mi objetivo final es tan sólo la verdad. Y mi propósito inmediato consiste en inducirlo a que yuxtaponga la *insólita agilidad* que he mencionado a esa voz *tan extrañamente aguda* (o áspera) y *desigual* sobre cuya nacionalidad no pudieron ponerse de acuerdo los testigos y en cuyos acentos no se logró distinguir ningún vocablo articulado.

Al oír estas palabras pasó por mi mente una vaga e informe concepción de lo que quería significar Dupin. Me pareció estar a punto de entender, pero sin llegar a la comprensión, así como a veces nos hallamos a punto de recordar algo que finalmente no se concreta. Pero mi amigo seguía hablando.

—Habrá notado usted —dijo— que he pasado de la cuestión de la salida de la casa a la del modo de entrar en ella. Era mi intención mostrar que ambas cosas se cumplieron en la misma forma y en el mismo lugar. Volvamos ahora al interior del cuarto y examinemos lo que allí aparece. Se ha dicho que los cajones de la cómoda habían sido saqueados, aunque en ellos quedaron numerosas prendas. Esta conclusión es absurda. No pasa de una simple conjetura, bastante tonta por lo demás. ¿Cómo podemos asegurar que las ropas halladas en los cajones no eran las que éstos contenían habitualmente? *Madame* L'Espanaye y su hija llevaban una vida muy retirada, no veían a nadie, salían raras veces, y se les presentaban pocas ocasiones de cambiar de tocado. Lo que se encontró en los cajones era de tan buena calidad como cualquiera de los efectos que poseían las damas. Si un ladrón se llevó una parte, ¿por qué no tomó lo mejor... por qué no se llevó todo? En una palabra: ¿por qué abandonó cuatro mil francos en oro, para cargarse con un hato de ropa? El oro fue abandonado. La suma mencionada por *monsieur* Mignaud, el banquero, apareció en su casi totalidad en los sacos tirados por el suelo. Le pido, por tanto, que descarte de sus pensamientos la desatinada idea de un *móvil*, nacida en el cerebro de los policías por esa parte del testimonio que se refiere al dinero entregado en la puerta de la casa. Coincidencias diez veces más notables que ésta (la entrega del dinero y el asesinato de sus poseedores tres días más tarde) ocurren a cada hora de nuestras vidas sin que nos preocupemos por ellas. En general, las coincidencias son grandes obstáculos en el camino de esos pensadores que todo lo ignoran de la teoría de las probabilidades, esa teoría a la cual los objetivos más eminentes de la investigación humana deben los más altos ejemplos. En esta instancia, si el oro hubiese sido robado, el hecho de que la suma hubiese sido entregada tres días antes habría constituido algo más que una coincidencia. Antes bien, hubiera corroborado la noción de un móvil. Pero, dadas las verdaderas circunstancias del caso, si hemos de suponer que el oro era el móvil del crimen, tenemos entonces que admitir que su perpetrador era lo bastante indeciso y lo bastante estúpido como para olvidar el oro y el móvil al mismo tiempo.

»Teniendo, pues, presentes los puntos sobre los cuales he llamado su atención —la voz singular, la insólita agilidad y la sorprendente falta de móvil en un asesinato tan atroz como éste—, echemos una ojeada a la carnicería en sí. Estamos ante una mujer estrangulada por la presión de unas manos e introducida en el cañón de la chimenea con la cabeza hacia abajo. Los asesinos ordinarios no emplean semejantes métodos. Y mucho menos esconden al asesinado en esa forma. En el hecho de introducir el cadáver en la chimenea admitirá usted que hay algo *excesivamente* inmoderado, algo por completo irreconciliable con nuestras nociones sobre los actos humanos, incluso si suponemos que su autor es el más depravado de los hombres. Piense, asimismo, en la fuerza prodigiosa que hizo falta para introducir el cuerpo *hacia arriba,* cuando para hacerlo descender fue necesario el concurso de varias personas.

»Volvámonos ahora a las restantes señales que pudo dejar ese maravilloso vigor. En el hogar de la chimenea se hallaron espesos (muy espesos) mechones de cabello humano canoso. Habían sido arrancados de raíz. Bien sabe usted la fuerza que se requiere para arrancar en esa forma veinte o treinta cabellos. Y además vio los mechones en cuestión tan bien como yo. Sus raíces (cosa horrible) mostraban pedazos del cuero cabelludo, prueba evidente de la prodigiosa fuerza ejercida para arrancar quizá medio millón de cabellos de un tirón. La garganta de la anciana señora no solamente estaba cortada, sino que la cabeza había quedado completamente separada del cuerpo; el instrumento era una simple navaja. Lo invito a considerar la *brutal* ferocidad de estas acciones. No diré nada de las contusiones que presentaba el cuerpo de *Madame* L'Espanaye. *Monsieur* Dumas y su valioso ayudante, *monsieur* Etienne, han decidido que fueron producidas por un instrumento contundente, y hasta ahí la opinión de dichos caballeros es muy correcta. El instrumento contundente fue evidentemente el pavimento de piedra del patio, sobre el cual cayó la víctima desde la ventana que da sobre la cama. Por simple que sea, esto escapó a la policía por la misma razón que se les escapó el ancho de las persianas: frente a la presencia de clavos se quedaron ciegos ante la posibilidad de que las ventanas hubieran sido abiertas alguna vez.

»Si ahora, en adición a estas cosas, ha reflexionado usted adecuadamente sobre el extraño desorden del aposento, hemos llegado al punto de poder combinar las nociones de una asombrosa agilidad, una fuerza sobrehumana, una ferocidad brutal, una carnicería sin motivo, una *grotesquerie* en el horror por completo ajeno a lo humano, y una voz de tono extranjero para los oídos de hombres de distintas nacionalidades y privada de todo silabeo inteligible. ¿Qué resultado obtenemos? ¿Qué impresión he producido en su imaginación?

Al escuchar las preguntas de Dupin sentí que un estremecimiento recorría mi cuerpo.

—Un maníaco es el autor del crimen —dije—. Un loco furioso escapado de alguna *maison de santé* de la zona.

—En cierto sentido —dijo Dupin—, su idea no es inaplicable. Pero, aun en sus más salvajes paroxismos, las voces de los locos jamás coinciden con esa extraña voz escuchada en lo alto. Los locos pertenecen a alguna nación, y, por más incoherentes que sean sus palabras, tienen, sin embargo, la coherencia del silabeo. Además, el cabello de un loco no es como el que ahora tengo en la mano. Arranqué este pequeño mechón de entre los dedos rígidamente apretados de *madame* L'Espanaye. ¿Puede decirme qué piensa de ellos?

—¡Dupin... este cabello es absolutamente extraordinario...! ¡No es cabello *humano!* —grité, trastornado por completo.

—No he dicho que lo fuera —repuso mi amigo—. Pero antes de que resolvamos este punto, le ruego que mire el bosquejo que he trazado en este papel. Es un facsímil de lo que en una parte de las declaraciones de los testigos se describió como "contusiones negruzcas, y profundas huellas de uñas" en la garganta de *mademoiselle* L'Espanaye, y en otra (declaración de los señores Dumas y Etienne) como "una serie de manchas lívidas que, evidentemente, resultaban de la presión de unos dedos".

«Notará usted —continuó mi amigo, mientras desplegaba el papel— que este diseño indica una presión firme y fija. No hay señal alguna de *deslizamiento*. Cada dedo mantuvo (probablemente hasta la muerte de la víctima) su terrible presión en el sitio donde se hundió primero. Le ruego ahora que trate de colocar todos sus dedos a la vez en las respectivas impresiones, tal como aparecen en el dibujo.

Lo intenté sin el menor resultado.

−Quizá no estemos procediendo debidamente −dijo Dupin−. El papel es una superficie plana, mientras que la garganta humana es cilíndrica. He aquí un rodillo de madera, cuya circunferencia es aproximadamente la de una garganta. Envuélvala con el dibujo y repita el experimento.

Así lo hice, pero las dificultades eran aun mayores.

−Esta marca −dije− no es la de una mano humana.

−Lea ahora −replicó Dupin− este pasaje de Cuvier.

Era una minuciosa descripción anatómica y descriptiva del gran orangután leonado de las islas de la India oriental. La gigantesca estatura, la prodigiosa fuerza y agilidad, la terrible ferocidad y las tendencias imitativas de estos mamíferos son bien conocidas. Instantáneamente comprendí todo el horror del asesinato.

−La descripción de los dedos −dije al terminar la lectura− concuerda exactamente con este dibujo. Sólo un orangután, entre todos los animales existentes, es capaz de producir las marcas que aparecen en su diseño. Y el mechón de pelo coincide en un todo con el pelaje de la bestia descrita por Cuvier. De todas maneras, no alcanzo a comprender los detalles de este aterrador misterio. Además, se escucharon *dos* voces que disputaban y una de ellas era, sin duda, la de un francés.

−Cierto, Y recordará usted que, casi unánimemente, los testigos declararon haber oído decir a esa voz las palabras: *Mon Dieu!* Dadas las circunstancias, uno de los testigos (Montani, el confitero) acertó al sostener que la exclamación tenía un tono de reproche o reconvención. Sobre esas dos palabras, pues, he apoyado todas mis esperanzas de una solución total del enigma. Un francés estuvo al tanto del asesinato. Es posible −e incluso muy probable− que fuera inocente de toda participación en el sangriento episodio. El orangután pudo habérsele escapado. Quizá siguió sus huellas hasta la habitación; pero, dadas las terribles circunstancias que se sucedieron, le fue imposible capturarlo otra vez. El animal anda todavía suelto. No continuaré con estas conjeturas (pues no tengo derecho a darles otro nombre), ya que las sombras de reflexión que les sirven de base poseen apenas suficiente profundidad para ser alcanzadas por mi intelecto, y no pretenderé mostrarlas con claridad a la inteligencia de otra persona. Las llamaremos conjeturas, pues, y nos referiremos a ellas como tales. Si el francés en cuestión es, como lo supongo, inocente de tal atrocidad, este aviso que dejé anoche cuando volvíamos a casa en las oficinas de *Le Monde* (un diario consagrado a cuestiones marítimas y muy leído por los navegantes) lo hará acudir a nuestra casa.

Me alcanzó un papel, donde pude leer:

CAPTURADO.—*En el Bois de Boulogne, en la mañana del...* (la mañana del asesinato), *fue capturado un enorme orangután leonado de la especie de Borneo. Su dueño (de quien se sabe que es un marinero perteneciente a un barco maltés) puede reclamarlo, previa identificación satisfactoria y pago de los gastos resultantes de su captura y cuidado. Presentarse al número... calle... Faubourg Saint-Germain... tercer piso.*

—Pero, ¿cómo es posible —pregunté— que sepa usted que el hombre es un marinero y que pertenece a un barco maltés?

—No lo sé —dijo Dupin— y no estoy seguro de ello. Pero he aquí un trocito de cinta que, a juzgar por su forma y su grasienta condición, debió de ser usado para atar el pelo en una de esas largas *queues* de que tan orgullosos se muestran los marineros. Además, el nudo pertenece a esa clase que pocas personas son capaces de hacer, salvo los marinos, y es característico de los malteses. Encontré esta cinta al pie de la varilla del pararrayos. Imposible que perteneciera a una de las víctimas. De todos modos, si me equivoco al deducir de la cinta que el francés era un marinero perteneciente a un barco maltés, no he causado ningún daño al estamparlo en el aviso. Si me equivoco, el hombre pensará que me he confundido por alguna razón que no se tomará el trabajo de averiguar. Pero si estoy en lo cierto, hay mucho de ganado. Conocedor, aunque inocente de los asesinatos, el francés vacilará, como es natural, antes de responder al aviso y reclamar el orangután. He aquí cómo razonará: "Soy inocente y pobre; mi orangután es muy valioso y para un hombre como yo representa una verdadera fortuna. ¿Por qué perderlo a causa de una tonta aprensión? Está ahí, a mi alcance. Lo han encontrado en el Bois de Boulogne, a mucha distancia de la escena del crimen. ¿Cómo podría sospechar alguien que ese animal es el culpable? La policía está desorientada y no ha podido encontrar la más pequeña huella. Si llegaran a seguir la pista del mono, les será imposible probar que supe algo de los crímenes o echarme alguna culpa como testigo de ellos. Además, *soy conocido*. El redactor del aviso me designa como dueño del animal. Ignoro hasta dónde llega su conocimiento. Si renuncio a reclamar algo de tanto valor, que se sabe de mi pertenencia, las sospechas recaerán, por lo menos, sobre el animal. Contestaré al aviso, recobraré el orangután y lo tendré encerrado hasta que no se hable más del asunto".

En ese momento oímos pasos en la escalera.

—Prepare las pistolas —dijo Dupin—, pero no las use ni las exhiba hasta que le haga una seña.

La puerta de entrada de la casa había quedado abierta y el visitante había entrado sin llamar, subiendo algunos peldaños de la escalera. Pero, de pronto, pareció vacilar y lo oímos bajar. Dupin corría ya a la puerta cuando advertimos que volvía a subir. Esta vez no dudó, sino que, luego de trepar decididamente la escalera, golpeó en nuestra puerta.

—¡Adelante! —dijo Dupin con voz cordial y alegre.

El hombre que entró era, a todas luces, un marino, alto, robusto y musculoso, con un semblante en el que cierta expresión audaz no resultaba desagradable. Su rostro, muy curtido por el sol, en gran parte se hallaba oculto por las patillas y los bigotes. Traía consigo un grueso bastón de roble, pero al parecer ésa era su única arma. Se inclinó torpemente, dándonos las buenas noches en francés; a pesar de un cierto acento suizo de Neufchâtel, se notaba que su origen era parisiense.

—Tome asiento, amigo mío —dijo Dupin—. Supongo que viene a buscar al orangután. Créame, lo envidio un poco; es un animal magnífico, que supongo debe de tener gran valor. ¿Qué edad calcula usted?

El marinero respiró profundamente, con el aire de quien se siente aliviado de un peso que resultaba insoportable, y contestó con tono reposado:

—No podría decirlo, pero no tiene más de cuatro o cinco años. ¿Lo tiene usted aquí?

—¡Oh, no! Aquí no tenemos un espacio adecuado. Se encuentra en una caballeriza de la calle Dubourg, cerca de donde estamos. Usted podría llevárselo mañana por la mañana. Supongo que estará en condiciones de probar su derecho de propiedad.

—Por supuesto que sí, señor.

—Lamentaré separarme de él —dijo Dupin.

—No quisiera que usted se hubiese tomado estas molestias —declaró el marinero—. Estoy dispuesto a pagar una recompensa por el hallazgo del animal. Una suma razonable, se entiende.

—Pues bien —repuso mi amigo—, eso me parece muy justo. Déjeme pensar: ¿qué le pediré? ¡Ah, ya sé! He aquí cuál será mi recompensa: me contará usted todo lo que sabe sobre esos crímenes en la calle Morgue.

Dupin pronunció las últimas palabras en voz muy baja y con gran tranquilidad. Después, con igual calma, fue hacia la puerta, la cerró y guardó la llave en el bolsillo. Luego sacó una pistola y la dejó sobre la mesa, con mucha calma.

El rostro del marinero se tornó morado como si un acceso de sofocación se hubiera apoderado de él. Levantándose, aferró su bastón, pero un segundo después se dejó caer de nuevo en el asiento, temblando con violencia y pálido como la muerte. No dijo una palabra. Sentí compasión de él desde lo más profundo de mi corazón.

—Amigo mío, se está usted alarmando sin necesidad —dijo Dupin con cordialidad—. Le aseguro que no tenemos intención de causarle el menor daño. Lejos de nosotros querer perjudicarlo: le doy mi palabra de caballero y de francés. Estoy perfectamente enterado de que usted es inocente de las atrocidades de la calle Morgue. Pero sería inútil negar que, en cierto modo, se halla implicado en ellas. Fundándose en lo que le he dicho, supondrá que poseo medios de información sobre este asunto, medios que le sería imposible imaginar. El caso se plantea de la siguiente manera: usted no ha cometido nada que no debiera haber cometido, nada que lo haga culpable. Ni siquiera se le puede acusar de robo, cosa que pudo llevar a cabo impunemente. No tiene nada que ocultar ni razón para hacerlo. Por otra parte, el honor más elemental lo obliga a confesar todo lo que sabe. Hay un hombre inocente en la cárcel, acusado de un crimen cuyo perpetrador puede usted denunciar.

Mientras Dupin pronunciaba estas palabras, el marinero había recobrado en buena parte su compostura, aunque su aire decidido del comienzo habíase desvanecido por completo.

—¡Dios venga en mi ayuda! —dijo, después de una pausa—. Sí, le diré todo lo que sé sobre este asunto, aunque no espero que crea ni la mitad de lo que voy a contarle... ¡Estaría loco si pensara que van a creerme! Y, sin embargo, soy inocente, y lo confesaré todo aunque me cueste la vida.

En resumen, lo que nos dijo fue lo siguiente: tiempo atrás había hecho un viaje al archipiélago índico. Un grupo del que formaba parte desembarcó en Borneo y penetró en el interior a fin de hacer una excursión placentera. Entre él y un compañero capturaron al orangután. Como su compañero murió, quedó como dueño único del animal. Después de grandes dificultades, ocasionadas por la indomable ferocidad de su cautivo durante el viaje de vuelta, logró por fin encerrarlo en su casa de París, donde, para aislarlo de la incómoda curiosidad de sus vecinos, lo mantenía cuidadosamente recluido, mientras el animal curaba de una herida en la pata que se había hecho con una astilla a bordo del buque. Una vez curado, el marinero estaba dispuesto a venderlo.

Una noche, o mejor dicho una madrugada, en que volvía de una pequeña juerga de marineros, nuestro hombre se encontró con que el orangután había ingresado en su dormitorio, luego de escaparse de la habitación contigua donde su captor había creído tenerlo sólidamente encerrado. Navaja en mano y embadurnado de jabón, se había sentado frente a un espejo y trataba de afeitarse, tal como, sin duda, había visto hacer a su amo espiándolo por el ojo de la cerradura. Aterrado al ver arma tan peligrosa en manos de un animal que, en su ferocidad, era muy capaz de utilizarla, el marinero se quedó un instante sin saber qué hacer. Por lo regular, lograba contener al animal, aun en sus arrebatos más terribles, con ayuda de un látigo, y pensó acudir otra vez a ese recurso. Sin embargo, al verlo, el orangután se lanzó de un salto a la puerta, bajó las escaleras y, desde ellas, saltando por una ventana que desgraciadamente estaba abierta, se dejó caer a la calle.

Desesperado, el francés se precipitó en su seguimiento. Navaja en mano, el mono se detenía para mirar y hacer muecas a su perseguidor, dejándolo acercarse casi hasta su lado. Entonces otra vez echaba a correr. La caza continuó así durante largo tiempo. Las calles estaban profundamente tranquilas, ya que eran casi las tres de la madrugada. Al atravesar el pasaje de los fondos de la calle Morgue, la atención del fugitivo se vio atraída por la luz que salía de la ventana abierta del aposento de *madame* L'Espanaye, en el cuarto piso de su casa. Precipitándose hacia el edificio, descubrió la varilla del pararrayos, trepó por ella con inconcebible agilidad, aferró la persiana que se hallaba completamente abierta y pegada a la pared, y en esta forma se lanzó hacia adelante hasta caer sobre la cabecera de la cama. Todo esto había ocurrido en menos de un minuto. Al saltar en la habitación, las patas del orangután rechazaron nuevamente la persiana, que quedó abierta.

A todo esto, el marinero se sentía tranquilo y preocupado al mismo tiempo. Sus esperanzas de recapturar a la bestia renacían, ya que le sería difícil escapar de la trampa en que acababa de meterse, salvo que bajara otra vez por el pararrayos, ocasión en que sería posible atraparlo. Por otra parte, estaba ansioso de pensar en lo que podría estar haciendo en la casa. Esta última reflexión indujo al hombre a seguir al fugitivo. Para un marinero no hay dificultad en trepar por una varilla de pararrayos; pero, cuando hubo llegado a la altura de la ventana, que quedaba muy alejada a su izquierda, no pudo seguir adelante; lo más que alcanzó fue a echarse a un lado para observar el interior del aposento. Apenas hubo mirado, estuvo a punto de caer a causa del horror que lo sobrecogió. Fue en ese momento cuando empezaron los espantosos alaridos que arrancaron de su sueño a los vecinos de la calle Morgue. *Madame* L'Espanaye y su hija, vestidas con sus camisones de dormir, habían estado aparentemente ocupadas en arreglar algunos papeles en la caja fuerte ya mencionada, la cual había sido corrida al centro del cuarto. Estaba abierta, y a su lado, en el suelo, los papeles que contenía. Las víctimas debían de haber estado sentadas dando la espalda a la ventana, y, a juzgar por el tiempo transcurrido entre la entrada de la bestia y los gritos, parecía probable que en un primer momento no hubieran advertido su presencia. El golpear de la persiana pudo ser atribuido por ellas al viento.

En el momento en que el marinero miró hacia el interior del cuarto, el gigantesco animal había aferrado a *madame* L'Espanaye por el cabello (que la dama tenía suelto, como si se hubiera estado peinando) y agitaba la navaja cerca de su cara imitando los movimientos de un barbero. La hija yacía postrada e inmóvil, víctima de un desmayo. Los gritos y los esfuerzos de la anciana señora, durante los cuales le fueron arrancados los mechones de la cabeza, tuvieron por efecto convertir los propósitos probablemente pacíficos del orangután en otros llenos de furor. Con un solo golpe de su musculoso brazo separó casi completamente la cabeza del cuerpo de la víctima. La vista de la sangre transformó su cólera en frenesí. Rechinando los dientes y echando fuego por los ojos, saltó sobre el cuerpo de la joven y, hundiéndole las terribles garras en la garganta, las mantuvo así hasta que hubo expirado. Las furiosas miradas de la bestia cayeron entonces sobre la cabecera del lecho, sobre el cual el rostro de su amo, paralizado por el horror, alcanzaba apenas a divisarse. La furia del orangután, que, sin duda, no olvidaba el temido látigo, se cambió instantáneamente en miedo. Seguro de haber merecido un castigo, pareció deseoso de ocultar sus sangrientas acciones, y se lanzó por el cuarto lleno de nerviosa agitación, echando abajo y rompiendo los muebles a cada salto y arrancando el lecho de su bastidor. Finalmente se apoderó del cadáver de *mademoiselle* L'Espanaye y lo metió en el cañón de la chimenea, tal como fue encontrado luego, tomó luego el de la anciana y lo tiró de cabeza por la ventana.

En momentos en que el mono se acercaba a la ventana con su mutilada carga, el marinero se echó aterrorizado hacia atrás y, deslizándose sin precaución alguna hasta el suelo, corrió inmediatamente a su casa, temeroso de las consecuencias de semejante atrocidad y olvidando en su terror toda preocupación por la suerte del orangután. Las palabras que los testigos oyeron en la escalera fueron las exclamaciones de espanto del francés, mezcladas con los diabólicos sonidos que profería la bestia.

Tengo poco para agregar. El orangután debió de escapar por la varilla del pararrayos un segundo antes de que la puerta fuera forzada. Sin dudas, cerró la ventana a su paso. Más tarde fue capturado por su mismo dueño, quien lo vendió al *Jardin des Plantes* en una suma elevada.

Lebon fue puesto en libertad de inmediato, después que narramos todas las circunstancias del caso —con algunos comentarios por parte de Dupin— en la oficina del prefecto de policía. Este funcionario, aunque muy bien dispuesto hacia mi amigo, no logró ocultar por completo el fastidio que le producía el giro que había tomado el caso, y deslizó uno o dos sarcasmos sobre la conveniencia de que cada uno se ocupara de sus propios asuntos.

—Déjelo que hable —me dijo Dupin, que no se había molestado en responderle—. Permita que se desahogue, que eso traerá alivio a su conciencia. Me doy por satisfecho con haberlo derrotado en su propio terreno. De todos modos, el hecho de que haya fracasado en la solución del misterio no da ningún motivo para asombrarse; en verdad, nuestro amigo el prefecto es demasiado astuto para ser profundo. No hay fibra en su ciencia: mucha cabeza y nada de cuerpo, así como las imágenes de la diosa Laverna o, a lo sumo, mucha cabeza y lomos, igual que un bacalao. Pero después de todo es un buen hombre. Lo estimo especialmente por cierta forma maestra de mojigatería, a la cual debe su reputación. Me refiero a la manera que tiene de *nier ce qui est, et d'expliquer ce qui n'est pas*[4].

---

4 Negar lo que es y explicar lo que no es.

El misterio de Marie Rogêt
(1942)

Hay series ideales de acontecimientos que corren en paralelo a los reales. Rara vez coinciden; por lo general, los hombres y las circunstancias modifican la serie ideal perfecta, y
sus consecuencias son por lo tanto igualmente imperfectas.
Así ocurrió con la Reforma: en vez del protestantismo resultó
el luteranismo.

NOVALIS, *MORAL ANSICHTEN*

Incluso entre los pensadores más pacíficos, escasean
los que alguna vez no se hayan sorprendido al comprobar
que creían a medias en lo sobrenatural –de forma vaga
pero intimidante–, basándose para ello en coincidencias
de naturaleza tan asombrosa que, en cuanto meras coincidencias, el intelecto no ha alcanzado a conocer. Tales
sentimientos (debido a que las creencias a medias a las

cuales me refiero no logran la fuerza plena del pensamiento) nunca se borran por completo hasta que se los explica por la doctrina de las posibilidades. Pues bien, este cálculo es en esencia puramente matemático, y es así como nos encontramos con la rareza de que la ciencia más rígida y exacta puede aplicarse a las sombras y vaguedades de la más intangible de las especulaciones.

Los extraordinarios detalles que debo dar a conocer constituyen, en lo relativo al tiempo, la rama principal de una serie de coincidencias que apenas pueden ser comprendidas, cuya rama secundaria o final reconocerán los lectores en el asesinato reciente de Mary Cecilia Rogers, ocurrido en Nueva York.

Cuando en un relato titulado "Los crímenes de la calle Morgue", publicado un año atrás, intenté poner de manifiesto algunas notables características de la mentalidad de mi amigo, el *Chevalier* Auguste Dupin, jamás se me ocurrió que volvería a ocuparme del tema. Mi intención era describir esas características, y su objetivo fue logrado en su totalidad dentro de la atroz serie de circunstancias que permitieron poner de manifiesto los rasgos de la personalidad de Dupin. Podría haber presentado otros ejemplos, pero no hubieran resultado mejores como prueba. Los sucesos recientes, empero, con su sorprendente desarrollo, me fuerzan a brindar nuevos detalles que se asemejarán a una confesión forzada. Pero, luego de lo que he oído en estos últimos tiempos, en verdad resultaría extraño que me mantuviera en silencio sobre lo que hace tiempo me tocó atestiguar.

Una vez que la tragedia de la muerte de *madame* L'Espanaye y su hija fue resuelta, Dupin dejó de preocuparse de inmediato en el asunto y cayó nuevamente en sus viejos hábitos de melancólica ensoñación. En cuanto a mí, con mis inclinaciones a la abstracción, no dejé de acompañarlo en su humor; seguíamos ocupando las mismas habitaciones en el Faubourg Saint-Germain, y dejamos de lado cualquier preocupación acerca del futuro para sumergirnos con placidez en el presente, reduciendo a sueños el mundo agonizante a nuestro alrededor.

Sin embargo estos sueños solían ser interrumpidos. Es fácil imaginar se que el rol que había jugado mi amigo en el drama de la calle Morgue no había dejado de impresionar a la policía parisiense. El nombre de Dupin se había hecho familiar a todos sus miembros. La naturaleza simple de aquellas inducciones que le habían permitido desenredar el misterio no fue nunca explicada por Dupin a nadie, además de a mí —ni siquiera al prefecto—, por lo cual no sorprenderá que su intervención se considerara poco menos que milagrosa, o que las aptitudes analíticas del *chevalier* le hicieran ganar fama de intuitivo. Su franqueza lo hubiera llevado a desengañar a todos los que creyeran esto último, pero su humor insensible lo alejaba de la reiteración de un tópico que había dejado de interesarle hacía mucho. Fue así como Dupin se convirtió en blanco para las miradas de la policía, y en no pocos casos la prefectura trató de contar con sus servicios. Uno de los ejemplos más notables fue dado por el asesinato de una joven llamada Marie Rogêt.

El hecho sucedió unos dos años después de los horrores de la calle Morgue. Marie, cuyo nombre y apellido inmediatamente llaman la atención por su parecido con los de la desgraciada vendedora de cigarros de Nueva York, era hija única de la viuda Estelle Rogêt. Su padre había fallecido cuando Marie era una niña, y desde entonces hasta unos dieciocho meses antes del asesinato que nos ocupa, madre e hija habían vivido juntas en la calle Pavee Saint André, donde la señora Rogêt dirigía una pensión con ayuda de la joven. Todo siguió igual hasta que Marie cumplió veintidós años, y su enorme belleza llamó la atención de un perfumista que ocupaba uno de los negocios en la galería del Palais Royal, cuya clientela principal estaba conformada por los peligrosos aventureros que proliferaban en el barrio. *Monsieur* Le Blanc no desconocía las ventajas de que la bella Marie atendiera la perfumería, y su generosa propuesta fue rápidamente aceptada por la joven, aunque su madre mostró algunas dudas.

Lo que el comerciante preveía se cumplió, y sus salones no tardaron en hacerse famosos gracias a los encantos de la vivaz *grisette*[1]. Llevaba ella un año en su empleo, cuando sus admiradores se vieron sorprendidos por su repentina desaparición. *Monsieur* Le Blanc no se explicaba su ausencia, y *madame* Rogêt estaba llena de ansiedad y miedo. Los periódicos se ocuparon de inmediato del hecho y la policía iniciaba sus investigaciones cuando, una semana después de su desaparición, Marie se presentó otra vez en la perfumería y reanudó sus tareas, dando la impresión de hallarse perfectamente bien, aunque había cierta tristeza en su rostro. Como es natural, se suspendió enseguida toda investigación, excepto las de carácter privado. *Monsieur* Le Blanc se mostró imperturbable y no dijo una palabra. A todas las preguntas formuladas, tanto Marie como su madre respondieron que la primera había pasado la semana con parientes que vivían en el campo. La cosa acabó ahí y fue bien pronto olvidada, sobre todo porque la joven, deseosa de evitar las impertinencias de la curiosidad, no tardó en despedirse definitivamente del perfumista y buscó refugio en casa de su madre, en la calle Pavee Saint André.

Habrían pasado cinco meses de su retorno al hogar,

---

1 Palabra con la que se refería en Francia a jóvenes trabajadoras de bajos recursos, a menudo codiciadas por los hombres por su belleza o por la idea extendida de que eran fáciles de conquistar.

cuando sus amigos se alarmaron con una segunda y no menos repentina desaparición. Durante tres días no tuvieron ninguna noticia. Al cuarto día, el cadáver apareció flotando en el Sena, cerca de la orilla opuesta al barrio de la calle Saint André, en una zona no muy alejada de la solitaria vecindad de la Barrière du Roule.

La atrocidad del crimen (ya desde un principio resultó evidente que se trataba de un crimen), la juventud y belleza de la víctima y, sobre todo, su pasada notoriedad, concurrieron para generar una conmoción profunda en los espíritus de los sensibles habitantes de París. No recuerdo ningún caso similar que haya provocado efecto tan general y hondo. Durante varias semanas, la discusión del tema dominante hizo incluso dejar de lado los asuntos políticos del momento. El prefecto desplegó una insólita actividad y, como es natural, los recursos de la policía de París fueron empleados en su totalidad.

Al descubrirse el cadáver, nadie supuso que el asesino evadiría por mucho tiempo la investigación inmediatamente iniciada. Sólo al cumplirse la primera semana se estimó necesario ofrecer una recompensa, y aun así quedó limitada a la suma de mil francos. Mientras tanto la indagación continuaba con fuerza, aunque no siempre de forma acertada, y fueron muchas las personas interrogadas en vano, al tiempo que el nerviosismo popular aumentaba con la certeza de que no se daba con el menor indicio que revelara el misterio. Al cumplirse el décimo día se creyó conveniente doblar la suma ofrecida. La segunda semana transcurrió sin arribar a ningún hallazgo, y como la animosidad que siempre existe en París contra la policía se manifestara en una serie de graves disturbios, el prefecto asumió personalmente la responsabilidad de ofrecer la suma de veinte mil francos «por la denuncia del asesino» o, en caso de que se tratara de más de uno, «por la denuncia de cualquiera de los asesinos». En el anuncio de esta recompensa se prometía completo perdón a cualquier cómplice que presentara declaración contra el autor del hecho; al pie del cartel se agregó un segundo, por el cual un comité de ciudadanos ofrecía otros diez mil francos de recompensa. La suma total alcanzaba, así, los treinta mil francos, algo que debe considerarse extraordinario teniendo en cuenta la condición humilde de la víctima y la asiduidad con la cual acontecen atrocidades de este tipo en las grandes ciudades.

Nadie tuvo dudas entonces de que el misterioso asesinato sería esclarecido en cualquier momento. Sin embargo, aunque se llevaron a cabo uno o dos arrestos con promesa de buenos resultados, no se aclaró nada que comprometiera a las personas en cuestión, quienes recuperaron la libertad. Por más inusual que parezca, habían transcurrido tres semanas desde el descubrimiento del cuerpo sin que surgiera la menor luz reveladora, antes de que el rumor de los acontecimientos que tanto agitaban la opinión pública llegara a oídos de Dupin y de mí. Sumidos en investigaciones que reclamaban toda nuestra atención, hacía más de un mes que ninguno de los dos salía a la calle, recibía visitas o leía los diarios, aparte de una ojeada a los editoriales políticos. La primera noticia del asesinato nos fue traída por G... en persona. Se presentó en la tarde del 13 de julio de 18... y permaneció con nosotros hasta muy entrada la noche. Se sentía burlado ante el fracaso de todos sus esfuerzos por capturar a los asesinos. Su reputación —según declaró con un aire típicamente parisiense— estaba comprometida. Incluso su honor se veía mancillado. Los ojos de la sociedad estaban clavados en él y no había sacrificio que no estuviese dispuesto a realizar para que el misterio quedara aclarado. Terminó su curiosa perorata con un cumplido sobre lo que denominaba el "tacto" de Dupin, y le hizo una propuesta tan directa como generosa, cuya precisa naturaleza no me hallo en condiciones de relatar, pero que no guarda relación directa alguna con el tema principal de mi relato.

Mi amigo rechazó el halago lo mejor que pudo, pero de inmediato aceptó la proposición, aunque le otorgaba ventajas momentáneas. Una vez arreglado este punto, el prefecto se dispuso a darnos sus explicaciones del asunto, mezcladas con extensos comentarios sobre los testimonios recogidos (que todavía desconocíamos). Habló un buen tiempo, sin dudas con gran conocimiento, mientras yo insinuaba una que otra sugerencia y la noche avanzaba con una lentitud interminable. Dupin, instalado cómodamente en su sillón habitual, encarnaba en sí mismo la atención respetuosa. En ningún momento se quitó los anteojos, y una ojeada ocasional que lancé por detrás de los cristales verdes bastó para convencerme de que dormía tan profunda como silenciosamente, a lo largo de las siete u ocho pesadísimas horas que antecedieron a la partida del prefecto.

A la mañana siguiente conseguí en la prefectura un informe completo de todos los testimonios recogidos, y en las oficinas de los diarios obtuve un ejemplar de cada edición en la cual se hubieran publicado noticias relevantes sobre el desgraciado caso. Liberados de todo lo que cabía rechazar desde el vamos, el total de las informaciones era el siguiente:

Marie Rogêt dejó la casa de su madre en la calle Pavee Saint André cerca de las nueve de la mañana del domingo 22 de junio de 18... Al salir, informó a un señor Jacques St. Eustache —y sólo a él— que su intención era pasar el día en casa de una tía con domicilio en la calle des Drômes. Esta calle, angosta y corta pero muy populosa, no se encuentra lejos del margen del río y queda a unas dos millas —continuando una línea lo más directa posible– de la pensión de *madame* Rogêt. St. Eustache era el novio oficial de Marie y vivía en la pensión, donde además almorzaba y cenaba. Había convenido en ir a buscar a su prometida al caer el sol, para acompañarla de regreso. Aquella tarde, sin embargo, comenzó a llover a cántaros; al suponer que Marie se quedaría en casa de su tía (como lo había hecho en circunstancias parecidas), su novio no creyó necesario sostener su promesa. A medida que avanzaba la noche se oyó decir a *madame* Rogêt (que era una anciana con achaques, de setenta años) que «no volvería a ver nunca más a Marie»; pero en el momento nadie le prestó atención a sus dichos.

El lunes se supo con seguridad que la muchacha no había estado en la calle des Drômes, y cuando transcurrió el día sin novedades de ella comenzó una búsqueda tardía en distintos puntos de la ciudad y sus alrededores. Pero recién cuatro días después de la desaparición se tuvieron las primeras noticias ciertas. Ese día (miércoles, 25 de junio), un señor Beauvais, que junto con un amigo había estado indagando sobre Marie cerca de la Barrière du Roule, en la orilla del Sena opuesta a la calle Pavee Saint André, fue informado acerca de unos pescadores que habían sacado y llevado a la orilla un cadáver que flotaba en el río. Ante el cuerpo, y luego de algunas dudas, Beauvais lo identificó como el de la joven de la perfumería. Su amigo la reconoció en primer lugar.

El rostro estaba cubierto por la sangre coagulada, que también salía de la boca. No había evidencias de ninguna espuma, como sucede con los ahogados. Los tejidos celulares no habían perdido color. Alrededor de la garganta se encontraron magulladuras y huellas de dedos. Los brazos estaban doblados sobre el pecho y rígidos. La mano derecha se encontraba cerrada; la izquierda, abierta parcialmente. En la muñeca izquierda había dos excoriaciones circulares, probablemente causadas por cuerdas o por una cuerda pasada dos veces. Parte de la muñeca derecha aparecía también muy lastimada, lo mismo que la espalda en su totalidad y especialmente los omóplatos. Al traer el cuerpo a la orilla los pescadores lo habían atado con una soga, pero ninguna de las excoriaciones había sido producida por su uso. El cuello estaba muy hinchado. No se veía ninguna herida, ni contusiones que pudieran ser producto de golpes. Alrededor del cuello había un cordón atado con tanta fuerza que no se alcanzaba a distinguirlo, de tal modo estaba metido en la carne; había sido asegurado con un nudo situado exactamente debajo de la oreja izquierda. Esto solo hubiera bastado para provocar la muerte. El testimonio médico dejó expresamente establecida la virtud de la difunta, expresando que había sido sometida a una violencia salvaje. Al ser encontrado el cuerpo, se hallaba en un estado que no impedía que fuera identificado por parte de sus conocidos.

La ropa de la víctima estaba desgarrada y en desorden. Una tira de un pie de ancho había sido arrancada del vestido, desde el ruedo de la falda hasta la cintura, pero no desprendida por completo. Aparecía envuelta tres veces en la cintura y asegurada mediante una especie de venda en la espalda. La bata que Marie llevaba debajo del vestido era de fina muselina; una tira de dieciocho pulgadas de ancho había sido arrancada por completo de esta prenda, de manera muy cuidadosa y regular. Dicha tira apareció alrededor del cuello, pero no apretada, aunque había sido asegurada con un nudo muy firme. Sobre la tira de muselina y el cordón se encontraba el lazo de una cofia, que todavía colgaba de él. Ese lazo estaba asegurado con un nudo de marinero, y no con el que suelen usar las señoras.

Luego de ser identificado, el cadáver no fue llevado a la morgue, como se acostumbraba, ya que la formalidad parecía innecesaria, sino que se le dio rápido entierro no lejos del lugar donde fuera sacado del agua. Merced a los esfuerzos de Beauvais, el asunto permaneció en secreto cuidadosamente y pasaron varios días antes de que despertara el interés público. Sin embargo, un semanario se ocupó por fin del tema; el cadáver se exhumó, procediéndose a un nuevo examen, pero no hubo nada que agregar a lo que ya se conocía. Pero esta vez se les mostró la ropa a la madre y a los amigos de Marie, quienes las identificaron como las que vestía la joven al marcharse de su casa.

La agitación, mientras tanto, se incrementaba a cada hora. Numerosas personas fueron arrestadas y luego dejadas en libertad. St. Eustache, en especial, provocaba grandes sospechas, pues en un comienzo no fue capaz de explicar de forma satisfactoria sus movimientos durante el domingo en que Marie salió de su casa. Más tarde, sin embargo, presentó a *monsieur* G... testimonios escritos que dejaban clara constancia de cada una de sus horas del día en cuestión. A medida que transcurría el tiempo sin que se hiciera el más mínimo descubrimiento, comenzaron a circular mil rumores contradictorios, y los periodistas se entregaron a la tarea de hacer conjeturas. Entre ellas, la que más llamó la atención fue la de que Marie Rogêt estaba todavía viva, y que el cuerpo hallado en el Sena correspondía a alguna otra mujer desafortunada. Creo oportuno compartir con el lector los fragmentos donde se presenta la conjetura a la que hice alusión. Son transcripción literal de artículos aparecidos en *L'Etoile*, periódico habitualmente redactado con mucha capacidad.

«*Mademoiselle Rogêt* abandonó la casa de su madre en la mañana del domingo 22 de junio, con el manifiesto propósito de hacer una visita a su tía o a algún otro pariente en la calle des Drômes. A partir de esa hora nadie parece haberla visto otra vez. No hay la menor huella ni noticia.

Hasta la fecha, por lo menos, no se ha presentado nadie que la haya visto luego de que saliera de la casa materna. Ahora bien, aunque no existen testimonios de que Marie Rogêt se hallaba aún entre los vivos después de las nueve de la mañana del domingo 22 de junio, hay pruebas de que lo estaba hasta esa hora. El miércoles, a mediodía, un cuerpo de mujer fue descubierto flotando cerca de la orilla de la Barrière du Roule. Aun presumiendo que Marie Rogêt fuera arrojada al río dentro de las tres horas siguientes a la salida de su casa, esto significa un término de tres días, hora más o menos, desde el momento en que abandonó su hogar. Pero sería absurdo suponer que el asesinato (si se trata de un asesinato) pudo ser consumado lo bastante pronto para permitir a los perpetradores arrojar el cuerpo al río antes de medianoche. Quienes cometen tan horribles crímenes prefieren la oscuridad a la luz... Vemos así que, si el cuerpo hallado en el río era el de Marie Rogêt, sólo pudo estar en el agua dos días y medio, o tres como máximo. Las experiencias han demostrado que los cuerpos de los ahogados, o de los arrojados al agua inmediatamente después de una muerte violenta, requieren de seis a diez días para que la descomposición esté lo bastante avanzada como para devolverlos a la superficie. Incluso si se dispara un cañonazo sobre el lugar donde hay un cadáver, y éste sube a la superficie antes de una inmersión de cinco o seis días, volverá a hundirse si no se lo amarra. Entonces preguntamos: ¿qué pudo determinar semejante alteración en el curso natural de las cosas? Si el cuerpo, maltratado como estaba, hubiera permanecido en tierra hasta la noche del martes, no habría dejado de aparecer en la costa alguna huella de los asesinos. Además, resulta sospechoso que el cuerpo hubiera subido a flote con tanta premura, aun siendo arrojado al agua después de dos días de producida la muerte. Y, aun más, parece altamente improbable que los miserables capa-

ces de semejante crimen hayan tirado el cadáver al agua sin
atarle algún peso para mantenerlo sumergido, cosa que no
revestía la menor dificultad».

El articulista continúa argumentando que el cuerpo
debió de estar en el agua «no solamente tres días, sino, por
lo menos, cinco veces ese tiempo», pues aparecía tan des-
compuesto que Beauvais tuvo gran dificultad para identificarlo. Este último punto, sin embargo, fue refutado de
plano. Continúo con la transcripción:

«¿Cuál es la razón, entonces, de *monsieur* Beauvais, para
afirmar que no duda de que el cuerpo es el de Marie Rogêt?
Sabemos que se ocupó de romper la manga del vestido y
que afirmó que había encontrado en el brazo marcas que
probaban su identidad. El público habrá creído que se refería a alguna cicatriz o a la presencia de cicatrices. Pero *monsieur* Beauvais se limitó a frotar el brazo y comprobar que
tenía vello, lo cual es el detalle menos concluyente que nos
sea dado imaginar y tan poco probatorio como encontrar
el brazo dentro de la manga. *Monsieur* Beauvais no regresó
esa noche, pero hizo saber a *madame* Rogêt, a las siete de
la tarde del miércoles, que se continuaba la investigación
referente a su hija. Si aceptamos que, por causa de su edad
y su condición, *madame* Rogêt no era capaz de identificar
personalmente el cuerpo (lo cual es conceder mucho), cabe
suponer que bien podía haber alguna otra persona o personas que consideraran necesario estar presentes y seguir
de cerca la investigación si creían que el cadáver era el de
Marie. Pero nadie se presentó. No se dijo ni se oyó una sola
palabra sobre el asunto en la calle Pavee Saint André, nada
que llegara a conocimiento de los ocupantes de la misma
casa. *Monsieur* St. Eustache, el prometido de Marie, que
vivía en la pensión de su madre, declara que no supo nada
del descubrimiento del cuerpo de su novia hasta que, a la
mañana siguiente, *monsieur* Beauvais entró en su habita-

ción y le comunicó la noticia. Se diría que semejante noticia fue recibida con suma frialdad».

Es así como el articulista hacía esfuerzos por crear la idea de cierta apatía por parte de los parientes de Marie, que se contradecía con la suposición de que dichos parientes creían que el cadáver era el de la joven. Las suposiciones pueden limitarse a lo siguiente: Marie, en complicidad con sus amigos, se había ausentado de la ciudad por razones vinculadas a su castidad. Al aparecer en el Sena un cuerpo que tenía similitudes con el de la joven, sus parientes habían aprovechado la oportunidad para impresionar al público, convenciéndolo de su fallecimiento. Pero *L'Etoile* volvía a apresurarse. Fue probado con claridad que la supuesta apatía no era tal; que la madre de Marie se encontraba muy débil y tan angustiada que era incapaz de ocuparse de nada; que St. Eustache, lejos de haber recibido con frialdad la noticia, se hallaba en un estado de desesperación y se comportaba de modo tan extraviado, que *monsieur* Beauvais debió pedir a un amigo y pariente que lo dejara solo y no le permitiera presenciar la exhumación del cadáver. *L'Etoile* afirmaba, además, que el cuerpo había sido nuevamente enterrado a costa del municipio, que la familia había rechazado de plano una ventajosa oferta de sepultura privada, y que en la ceremonia no había estado presente ningún miembro de la familia. Pero todo eso, publicado a fin de reforzar la impresión que el periódico buscaba producir, fue satisfactoriamente refutado. Un número posterior del mismo diario trataba de arrojar sospechas sobre el mismo Beauvais. El redactor declaraba:

«Ha habido una novedad en este asunto. Nos informan que, en ocasión de una visita de cierta *madame* B... a la casa de *madame* Rogêt, *monsieur* Beauvais, que se disponía a salir, dijo a la primera nombrada que no tardaría en venir un gendarme, pero que no debía decir una sola palabra hasta su regreso, pues él mismo se ocuparía del asunto. En el estado actual de cosas, *monsieur* Beauvais parece ser quien tiene todos los hilos en la mano. Es imposible dar el menor paso sin tropezar en seguida con su persona. Por alguna razón este caballero ha decidido que nadie fuera de él se ocupara de las actuaciones, y se las ha compuesto para dejar de lado a los parientes masculinos de la difunta, procediendo en forma harto singular. Parece, además, haberse mostrado muy refractario a que los parientes de la víctima vieran el cadáver».

Un hecho posterior contribuyó a dar alguna consistencia a las sospechas así arrojadas sobre Beauvais. Días antes de la desaparición de la joven, una persona que acudió a la oficina de aquél, al no estar su ocupante, observó que en la cerradura de la puerta había una rosa, y que en una pizarra colgada al lado aparecía el nombre *Marie.*

Hasta donde podíamos deducirlo a partir de la lectura de los diarios, la impresión general era que la muchacha había sido víctima de una pandilla de criminales que la habían arrastrado cerca del río, maltratado y, por última, asesinado. Sin embargo *Le Commerciel,* un periódico de gran influencia, combatía enérgicamente esta opinión popular. Transcribo uno o dos pasajes de sus columnas:

«Tenemos pleno convencimiento de que, al dirigirse hacia la Barrière du Roule, el camino seguido hasta ahora por la investigación ha sido equivocado. Es imposible que una persona tan popularmente conocida como la joven víctima hubiera podido caminar tres cuadras sin que la viera alguien, y cualquiera que la hubiese visto la recordaría, porque su figura generaba interés en todos. Las calles estaban repletas de gente cuando Marie salió. Imposible que haya llegado a la Barrière du Roule o a la calle des Drômes sin que una docena de testigos la reconocieran. Y, sin embargo, no se ha presentado nadie que la haya visto fuera de la casa de su madre; aparte del testimonio que se refiere a las intenciones expresadas por Marie, no existe prueba alguna de que realmente haya salido de su casa.

»El vestido de la víctima había sido desgarrado, envuelto a su cintura y atado; el propósito era llevar el cadáver como se lleva un envoltorio. Si el asesinato hubiera sido cometido en la Barrière du Roule no habría habido la menor necesidad de algo semejante. El hecho de que el cuerpo haya sido encontrado flotando cerca de la Barrière no prueba que haya sido arrojado al agua en ese sitio... Un trozo de una de las enaguas de la desgraciada muchacha, de dos pies de largo por uno de ancho, le fue aplicado bajo el mentón y atado detrás de la cabeza, es probable que para ahogar sus gritos. Quienes cometieron este acto no tenían pañuelo en el bolsillo».

Uno o dos días antes de la visita del prefecto, la policía recibió importantes informaciones que parecieron invalidar los argumentos esenciales de *Le Commerciel*. Dos niños, hijos de cierta *madame* Deluc, que deambulaban por los bosques cercanos a la Barrière du Roule, entraron por casualidad en un espeso monte, donde había tres o cuatro grandes piedras que formaban una especie de asiento con respaldo y una tarima para los pies. Sobre la piedra superior se hallaban unas enaguas blancas; en la segunda, una chalina de seda. También encontraron una sombrilla, guantes y un pañuelo de bolsillo. Este último tenía grabado el nombre «Marie Rogêt». En las zarzas circundantes aparecieron jirones de vestido. La tierra estaba removida, los arbustos, rotos, y no había dudas de que allí había tenido lugar un forcejeo. Entre el monte y el río se descubrió que los vallados habían sido derribados y la tierra tenía señales de que se había arrastrado una pesada carga.

Un semanario, *Le Soleil*, incluyó el siguiente comentario del descubrimiento, comentario que constituía una especie de eco de la prensa parisiense:

«Con toda evidencia, los objetos hallados llevaban en el lugar tres o cuatro semanas, por lo menos; aparecían estropeados y enmohecidos por la acción de las lluvias; el moho los había pegado entre sí. El pasto había crecido en torno y encima de algunos de ellos. La seda de la sombrilla era muy fuerte, pero sus fibras se habían adherido unas a otras por dentro. La parte superior, de tela doble y plegada, estaba enmohecida por la acción de la intemperie y se rompió al querer abrirla. Los jirones del vestido en las zarzas tenían unas tres pulgadas de ancho por seis de largo. Uno de ellos correspondía al dobladillo del vestido y había sido remendado; otro trozo era parte de la falda, pero no del dobladillo. Daban la impresión de ser pedazos arrancados y se hallaban en la zarza espinosa, a un pie del suelo... No cabe ninguna duda, entonces, de que se ha descubierto el escenario de tan horrible asesinato».

Otros testimonios aparecieron a partir del descubrimiento. *Madame* Deluc dijo ser la dueña de una posada situada sobre el camino, no lejos de la orilla del río, en la parte opuesta a la Barrière du Roule. Esta región es particularmente solitaria y es el lugar habitual de recreo de los malvivientes de París, que cruzan el río en bote. Hacia las tres de la tarde del domingo en cuestión arribó a la posada una muchacha acompañada por un hombre joven y moreno. Ambos estuvieron durante algún tiempo en la casa. Luego partieron rumbo a los espesos bosques de la vecindad. *Madame* Deluc había observado con atención el tocado de la muchacha, ya que le hacía acordar uno que había tenido una parienta suya ya fallecida. Sobre todo reparó en la chalina. Poco después de la partida de la pareja se presentó una pandilla de malvivientes, quienes actuaron de forma escandalosa, comieron y bebieron sin pagar, siguieron luego la ruta que habían tomado los dos jóvenes y regresaron a la posada al anochecer, volviendo a cruzar el río como si llevaran gran prisa.

Poco después de oscurecer, aquella misma tarde, *madame* Deluc y su hijo mayor oyeron los gritos de una mujer cerca de la posada. Los gritos eran violentos, pero duraron poco. *Madame* D. no solamente reconoció la chalina hallada en el monte, sino el vestido que tenía el cadáver. Un conductor de ómnibus, Valence, testimonió a su vez haber visto a Marie Rogêt cuando cruzaba en un ferry el Sena, el domingo en cuestión, en compañía de un joven moreno. Valence conocía a la joven y estaba convencido de que se trataba de ella. Los efectos personales que se hallaron en el monte fueron reconocidos sin vacilaciones por parte de los parientes de la víctima.

Los distintos testimonios e informaciones que recogí a solicitud de Dupin contenían tan sólo un punto más, pero, al parecer, de gran importancia. Inmediatamente después del descubrimiento de las ropas que acaban de describirse se encontró el cuerpo de St. Eustache, el prometido de Marie, quien yacía moribundo en la zona que todos suponían la escena del ataque. Un frasco que decía "láudano" apareció vacío a su lado. El aliento del agonizante revelaba la presencia del veneno. St. Eustache murió sin decir una palabra. Entre sus ropas se encontró una carta donde brevemente repetía su amor por Marie y su voluntad de suicidarse.

—Casi no necesito decirle —declaró Dupin luego de examinar mis notas— que este caso es mucho más intrincado que el de la calle Morgue, con el que se diferencia en un aspecto importante. Estamos aquí en presencia de un crimen ordinario, por más espantoso que sea. No hay nada particularmente excesivo, *outré*[2], en sus características. Usted

---

2 En francés, "desmesurado".

notará que por este motivo se consideró que el misterio era simple, aunque, en realidad, y por idéntico motivo, debía ser considerado de mucha dificultad. En un principio, por ejemplo, no se creyó necesario ofrecer una recompensa. Los agentes de G... fueron capaces de comprender de inmediato cómo y por qué podía haberse cometido esa atrocidad. En su imaginación se representaron un modo, muchos modos, y un móvil, muchos móviles. Y como no era imposible que alguno de tal cantidad de modos y móviles pudiera haber sido el verdadero, descontaron que uno de ellos debía ser el verdadero. Pero la facilidad con que nacieron tan diversas fantasías y la posibilidad de verdad de cada una debería haber sido muestra de las dificultades del caso antes que de su simpleza. Ya le he hecho notar que la razón se abre camino por sobre el nivel ordinario, si es que la verdad ha de ser hallada, y que la verdadera pregunta en casos como éstos no es tanto "¿Qué ha ocurrido?" sino "¿Qué hay, en lo ocurrido, que no se parece a nada de lo ocurrido anteriormente?". En sus investigaciones en la casa de *madame* L'Espanaye, los agentes de G... quedaron confundidos y descorazonados por lo insólito, lo infrecuente del caso que, para un intelecto ordenado como es debido, con seguridad hubiese significado un augurio de buen éxito; mientras ese mismo intelecto podría perder los estribos ante el carácter ordinario de todas las apariencias en el caso de la muchacha de la perfumería, que para los funcionarios de la prefectura eran signos de una victoria asegurada.

»En el caso de *madame* L'Espanaye y su hija, desde el principio de nuestra investigación no existió ninguna duda de que se había cometido un crimen. Se desecho de inmediato la idea de un suicidio. También aquí, desde los inicios, toda suposición al respecto puede ser desechada. El cuerpo hallado en la Barrière du Roule se encontraba en un estado que elimina toda vacilación sobre punto tan importante. Pero se ha sugerido que el cadáver hallado no es el de Marie Rogêt; y la recompensa ofrecida se refiere a la denuncia del asesino o asesinos de ésta, y lo mismo el acuerdo a que hemos llegado con el prefecto. Bien conocemos a este caballero y no debemos confiar demasiado en él. Si nuestras investigaciones comienzan a partir del cadáver hallado y seguimos la huella del asesino hasta descubrir que el cadáver pertenece a otra persona, o bien si partimos de la suposición de que Marie está viva y verificamos que, efectivamente, ésa es la verdad, en ambos casos perdemos el tiempo, ya que tenemos que entendernos con *monsieur* G... Es decir que nuestro primer objetivo –si pensamos en nosotros tanto como en la justicia– debe ser que quede bien establecido que el cadáver hallado es el de la Marie Rogêt desaparecida.

»Los argumentos de *L'Etoile* tuvieron gran acogida entre el público, y el periódico mismo está tan seguro de su relevancia que inicia así uno de sus comentarios sobre el tema: "Varios diarios de la mañana, en su edición de hoy, aluden al *concluyente* artículo de *L'Etoile* del domingo". En mi opinión tal artículo no es nada concluyente y sólo demuestra el celo de quien lo redactó. Es preciso tener en cuenta que, por lo general, los periódicos tienen fines sensacionalistas y buscan triunfos personales mucho más que ayudar a la búsqueda de la verdad. Este último objetivo solamente es perseguido cuando coincide con los anteriores. El diario que se conforma con la opinión general (por bien fundada que esté) no logra el beneplácito de las mayorías. La masa popular sólo considera profundo aquello que se halla en abierta contradicción con las nociones generales. Tanto en el raciocinio como en la literatura, el epigrama obtiene la aprobación inmediata y universal. Y en ambos casos se ubica en lo más bajo de la escala de méritos.

»Quiero decir que la mezcla de epigrama y melodrama que hay en la idea de que Marie Rogêt está todavía viva vale más para *L'Etoile* que lo que pueda haber de posible en esa sugestión, y le ha ganado una acogida favorable por parte del público. Examinemos lo principal de los argumentos del diario, intentando evitar la incoherencia con la cual fueron presentados.

»En primer lugar el redactor se propone mostrar, basándose en lo breve del intervalo entre la desaparición de Marie y el hallazgo del cuerpo en el río, que este último no puede ser el de Marie. De inmediato, trata de reducir dicho intervalo a sus menores proporciones. En su ansiosa persecución de este objetivo, no duda en embarcarse en meras suposiciones. "Sería absurdo suponer –declara– que el asesinato (si se trata de un asesinato) pudo ser consumado lo bastante pronto para permitir a los perpetradores arrojar el cuerpo al río antes de medianoche". A lo que pregunto con total naturalidad: ¿Por qué? ¿Por qué es absurdo suponer que el crimen pudo ser cometido cinco minutos después de que la joven salió de casa de su madre? ¿Por qué es absurdo suponer que el crimen fue cometido en cualquier momento de ese día? Se han cometido asesinatos a todas horas. Pero si el crimen hubiese tenido lugar en cualquier momento entre las nueve de la mañana del domingo y un cuarto de hora antes de medianoche, siempre habría habido tiempo suficiente "para arrojar el cuerpo al río antes de medianoche". De modo que la suposición se reduce a esto: el asesinato no fue cometido el día domingo. Pero si permitimos a *L'Etoile* suponer eso, bien podemos permitirle todas las libertades. El párrafo que comienza: "Sería absurdo suponer que el asesino, etcétera", debió haber sido concebido por el redactor en la forma siguiente: "Sería absurdo suponer que el asesinato (si se trata de un asesinato) pudo ser consumado lo bastante pronto para permitir a los perpetradores arrojar el cuerpo al río antes de medianoche; es absurdo, decimos, suponer tal cosa, y a la vez (como estamos resueltos a suponer) que el cuerpo *no fue* tirado al río hasta *después de medianoche...*". Frase bastante inconsistente, por cierto, aunque no tan ridícula como la impresa.

»Si mi objetivo –continuó Dupin– se limitara sólo a impugnar este pasaje del argumento de *L'Etoile*, podría dejar el asunto aquí. Pero no tenemos que enfrentarnos con *L'Etoile*, sino con la verdad. Tal como aparece, la frase en cuestión sólo tiene un sentido, pero resulta importantísimo que vayamos más allá de las meras palabras, en busca de la idea que éstas trataron obviamente de expresar sin conseguirlo. La intención del periodista era hacer notar que en cualquier momento del día o de la noche del domingo en que se hubiera cometido el crimen, resultaba improbable que los asesinos hubieran osado transportar el cuerpo al río antes de medianoche. Y es aquí donde reside la suposición contra la cual me rebelo. Se da por supuesto que el asesinato fue cometido en un lugar y en tales circunstancias que hacían necesario *transportar* el cadáver. Ahora bien, el asesinato pudo producirse a la orilla del río o en el río mismo; vale decir que el acto de arrojar el cadáver al río pudo ocurrir en cualquier momento del día o de la noche, como la forma de ocultamiento más inmediata y más obvia. Comprenderá que no sugiero nada de esto como probable o como coincidente con mi propia opinión. Hasta ahora, mis intenciones no se refieren a los *hechos* del caso. Simplemente deseo prevenirlo contra el tono de esa sugestión de *L'Etoile*, mostrándole desde un comienzo su carácter.

»Luego de fijar el límite necesario para sus ideas preconcebidas y de suponer que, de ser efectivamente el cuerpo de Marie, sólo podría haber permanecido en el agua durante un breve tiempo, el diario continúa diciendo:

»"Las experiencias han demostrado que los cuerpos de los ahogados, o de los arrojados al agua inmediatamente después de una muerte violenta, requieren de seis a diez días para que la descomposición esté lo bastante avanzada como para devolverlos a la superficie. Incluso si se dispara un cañonazo sobre el lugar donde hay un cadáver, y éste sube a la superficie antes de una inmersión de cinco o seis días, volverá a hundirse si no se lo amarra".

»Estas afirmaciones fueron aceptadas de forma tácita por todos los diarios de París, a excepción de *Le Moniteur*. Este último hace esfuerzos por quitarle entidad a esa parte del párrafo que se refiere a "los cuerpos de los ahogados", citando cinco o seis casos en los cuales los cadáveres de personas ahogadas reaparecieron a flote tras un lapso menor del que sostiene *L'Etoile*. Pero *Le Moniteur* procede de manera muy poco lógica al pretender refutar la totalidad del argumento de *L'Etoile* mediante ejemplos particulares que lo contradicen. Si bien hubiera sido posible presentar no sólo cinco, sino cincuenta ejemplos de cuerpos que se encontraron a flote después de dos o tres días, esos cincuenta ejemplos aún podrían seguir siendo considerados, con razón, como excepciones a la regla de *L'Etoile* hasta el momento en que pudiera refutarse la regla misma. Aceptando esta última (como lo hace *Le Moniteur,* que sólo se limita a señalar sus excepciones), el argumento de *L'Etoile* mantiene todo su vigor, ya que sólo hace alusión a la probabilidad de que el cuerpo haya surgido a la superficie en menos de tres días, y esta probabilidad seguirá manteniéndose a favor de *L'Etoile* hasta que los ejemplos aducidos con tanta liviandad tengan número suficiente para constituir una regla antagónica.

»Usted notará de inmediato que toda argumentación opuesta debe concentrarse en la regla en sí, y a tal fin debemos examinar la razón misma de la regla. En general, el cuerpo humano no es ni más liviano ni más pesado que el agua del Sena; vale decir que el peso específico del cuerpo humano en condición natural equivale aproximadamente al del volumen de agua dulce que desplaza. Los cuerpos de las personas gruesas y corpulentas, de huesos pequeños, y en general los de las mujeres, son más livianos que los cuerpos delgados, de huesos grandes, y en general de los masculinos; a su vez el peso específico del agua de río se ve más o menos influido por el flujo proveniente del mar. Pero, dejando esto a un lado, puede afirmarse que muy pocos cuerpos se hundirían espontáneamente, incluso en agua dulce. Casi la totalidad de los que caen en un río pueden mantenerse a flote, siempre que logren equilibrar el peso específico del agua con el suyo; vale decir, que queden casi completamente sumergidos, con el mínino posible fuera del agua. La posición adecuada para el que no sabe nadar es la vertical, como si estuviera caminando, con la cabeza completamente echada hacia atrás y sumergida, salvo la boca y la nariz. Así colocados, descubriremos que nos mantenemos a flote sin dificultad ni esfuerzo. Naturalmente que el peso del cuerpo y el volumen de agua desplazada se equilibran estrechamente, y la menor diferencia determinará la preponderancia de uno de ellos. Si se levanta un brazo fuera del agua, por ejemplo, y se lo priva así de su sostén, representa un peso adicional suficiente para sumergir por completo la cabeza, mientras que el más pequeño trozo de madera puede ayudarnos a sacar la cabeza lo suficiente para mirar alrededor. Ahora bien, cuando alguien que no sabe nadar se debate en el agua, invariablemente levantará los brazos, mientras hace esfuerzos por mantener la cabeza en posición vertical. Como resultado de esto se hunden la boca y la nariz, que en los esfuerzos por respirar concluyen con el ingreso del agua en los pulmones. El agua también entra en el estómago, y el cuerpo pesa más por la diferencia entre el peso del aire que previamente llenaba dichas cavidades y el del líquido que las ocupa ahora. Tal diferencia es suficiente para que el cuerpo, por regla general, se hunda, aunque es insuficiente en caso de personas de huesos menudos y una cantidad anormal de materia grasa. Estas personas siguen flotando incluso después de haberse ahogado.

»Suponiendo que el cuerpo se halle en el fondo del río, allí permanecerá hasta que por algún cambio haga que su peso específico vuelva a ser menor que la masa de agua que desplaza. Esto puede deberse a la descomposición o a otras razones. La descomposición genera gases que distienden los tejidos celulares y todas las cavidades, produciendo en el cadáver esa hinchazón tan horrible de ver. Cuando la distensión ha avanzado a punto tal que el volumen del cuerpo aumenta de tamaño sin un aumento correspondiente de masa, su peso específico resulta menor que el del agua desplazada y, por tanto, se remonta a la superficie. Sin embargo la descomposición se ve modificada por innumerables circunstancias y es acelerada o retardada por causas múltiples; sirven como ejemplos el calor o frío de la estación, la densidad mineral o la pureza del agua, su profundidad, su movimiento o estancamiento, las características del cuerpo, así como su estado normal o anormal antes de la muerte. Es así como resulta evidente que no es posible sentenciar con seguridad un período preciso tras el cual el cadáver saldrá a flote a causa de la descomposición. Bajo ciertas condiciones, este resultado puede ocurrir dentro de una hora; bajo otras, puede no producirse jamás. Existen preparados químicos por los cuales un cuerpo puede ser preservado para siempre de la corrupción; uno de ellos es el bicloruro de mercurio. Pero, aparte de la descomposición, suele producirse en el estómago una cantidad de gas derivada de la fermentación acetosa de materias vegetales, gas que también puede originarse en otras cavidades y provenir de otras causas, en cantidad suficiente para provocar una distensión que hará subir el cuerpo a la superficie. El efecto producido por el disparo de un cañón es el resultante de las simples vibraciones. Éstas desprenderán el cuerpo del barro o el limo en el cual se halle depositado permitiéndole salir a flote una vez que las causas antes citadas lo hayan preparado para ello; también puede vencer la resistencia de algunas partes plausibles de pudrirse en los tejidos celulares, permitiendo que las cavidades se distiendan bajo la influencia de los gases.

»Así, una vez que tenemos ante nosotros todos los datos necesarios sobre este tema, podemos echarles mano para poner fácilmente a prueba los dichos de *L'Etoile.* "Las experiencias han demostrado –dice– que los cuerpos de los ahogados, o de los arrojados al agua inmediatamente después de una muerte violenta, requieren de seis a diez días para que la descomposición esté lo bastante avanzada como para devolverlos a la superficie. Incluso si se dispara un cañonazo sobre el lugar donde hay un cadáver, y éste sube a la superficie antes de una inmersión de cinco o seis días, volverá a hundirse si no se lo amarra".

»A la luz de lo que sabemos, el párrafo completo aparece como un tejido de inconsecuencias e incoherencias. La experiencia no demuestra que los "cuerpos de ahogados" *requieran* de seis a diez días para que la descomposición avance lo suficiente para devolverlos a la superficie. La ciencia, pero también la experiencia, muestran que el término de su reaparición es y debe ser necesariamente variable. Si, además, un cuerpo sale a flote por el disparo de un cañón, *no* "volverá a hundirse si no se lo amarra" hasta que la descomposición haya avanzado lo bastante para permitir el escape del gas acumulado en su interior. Quiero que preste especial atención a la diferencia que se hace entre "cuerpos de ahogados" y cuerpos "arrojados al agua inmediatamente después de una muerte violenta". Aunque quien redacta el artículo acepta tal diferencia, aun así los incluye en la misma categoría. Ya he demostrado que el cuerpo de un hombre que se ahoga se vuelve específicamente más pesado que la masa de agua que desplaza, y que no se hundiría si no fuera por los movimientos en el curso de los cuales saca los brazos fuera del agua, y su ansiedad por respirar debajo de ésta, con lo cual el espacio que ocupaba el aire en los pulmones se ve reemplazado por agua. Sin embargo estos movimientos y estas respiraciones no tienen lugar en un cuerpo "arrojado al agua inmediatamente después de una muerte violenta". En este último caso, entonces, la regla general es que el cuerpo no se hunda, detalle que *L'Etoile* evidentemente ignora. Al alcanzar la descomposición un grado avanzado, cuando en gran medida la carne se ha desprendido de los huesos, entonces, *pero sólo entonces,* es cuando perderemos de vista al cadáver.

»¿Qué es lo que permanece ahora del argumento por el cual el cuerpo encontrado no puede ser el de Marie Rogêt, debido a que apareció flotando a sólo tres días de su desaparición? En caso de haberse ahogado, el cuerpo pudo no hundirse nunca, ya que se trataba de una mujer; o, en caso de hundirse, pudo reaparecer al cabo de veinticuatro horas o menos. Sin embargo, nadie supone que Marie se haya ahogado; si fue asesinada antes de que la arrojaran al río, su cadáver pudo haber sido encontrado en cualquier momento.

»"Pero —dice *L'Etoile*— si el cuerpo, como estaba de maltrecho, hubiera permanecido en tierra hasta la noche del martes, no habría dejado de hallarse en la costa alguna huella de los asesinos". Aquí resulta difícil darse cuenta al principio de la intención del razonador. Intenta anticiparse a algo que supone puede constituir una objeción a su teoría: vale decir que el cuerpo fue guardado dos días en tierra, entrando en descomposición *con mayor rapidez* que si hubiera estado sumergido en el agua. Supone que, si ése fuera el caso, el cadáver *podría* haber emergido del agua el día miércoles, y cree que *sólo* podría haber aparecido gracias a esas circunstancias. Por lo tanto, se apresura a mostrar que no fue guardado en tierra, pues, de ser así, "no habría dejado de hallarse en la costa alguna huella de los asesinos". Lo imagino a usted sonriendo ante este *sequitur*[3]. No alcanza a vislumbrar cómo la mera permanencia del cadáver en tierra podría multiplicar las huellas de los asesinos. Tampoco yo.

»"Y, aún más –continua nuestro diario–, parece improbable en gran medida que los miserables capaces de crimen semejante hayan arrojado el cadáver al agua sin atarle algún peso para mantenerlo sumergido, algo que no revestía la menor dificultad". ¡Fíjese, en este fragmento, la graciosa confusión del razonamiento! Nadie –ni siquiera *L'Etoile*– pone en duda el crimen cometido sobre el cuerpo hallado. Las señales de violencia son demasiado visibles. El objetivo de nuestro razonador sólo consiste en mostrar que no se trata del de Marie. Quiere probar que Marie no fue asesinada, sin dudar de que el cuerpo hallado lo haya sido. Pero con sus observaciones sólo prueba este último punto. Aquí tenemos un cadáver al que no le han amarrado ningún peso. Si los asesinos lo hubieran echado al agua, no habrían dejado de hacerlo. Por lo tanto, los asesinos no lo echaron al agua. Si alguna cosa se prueba, es solamente eso. La cuestión de la identidad no se toca ni siquiera de forma remota, y *L'Etoile* se ha tomado todo ese trabajo para contradecir lo que admitía un momento antes. "Estamos completamente convencidos –manifiesta– que el cuerpo hallado es el de una mujer asesinada".

»No es la única vez que nuestro razonador incurre en una contradicción sin darse cuenta. Como he señalado antes, su objetivo evidente es reducir lo más posible el intervalo entre la desaparición de Marie y el hallazgo del cadáver. Sin embargo, vemos cómo insiste con el asunto de que nadie

---

3   Del latín: "Razonamiento"

vio a la joven desde el momento en que dejó la casa de su madre. "Carecemos de testimonios —declara— de que Marie Rogêt se hallaba aún entre los vivos después de las nueve de la mañana del domingo 22 de junio". Dado que se trata de un argumento evidentemente parcial, hubiera sido mejor que lo dejara de lado, ya que si se supiera de alguien que hubiese reconocido a Marie, por ejemplo el lunes o el martes, el intervalo aludido se habría reducido en buena parte y, siguiendo el razonamiento anterior, las probabilidades de que el cadáver hallado fuera el de la *grisette* habrían disminuido en gran cantidad. De modo que resulta divertido observar cómo *L'Etoile* insiste sobre este punto con total convencimiento de que refuerza su argumentación general.

»Ahora examine una vez más la parte del artículo que explica la identificación del cadáver hecha por Beauvais. A propósito del *vello* del brazo, es evidente que *L'Etoile* comente el pecado de falta de ingenio. Dado que *monsieur* Beauvais no es ningún tonto, jamás se habría apresurado a identificar el cadáver basándose sólo en que había vello en el brazo. Todo brazo tiene vello. La generalización en que incurre *L'Etoile* es una burda deformación de las palabras del testigo, que debió referirse a alguna particularidad del vello. Pudo referirse al color, a la cantidad, al largo o a la distribución.

»"Sus pies eran pequeños —continúa diciendo el diario—, pero hay miles de pies pequeños. Tampoco constituyen una prueba sus ligas y sus zapatos, ya que unos y otros se venden en lotes. Lo mismo se puede decir de las flores de su sombrero. *Monsieur* Beauvais insiste en que el broche de las ligas había sido cambiado de lugar para que ajustaran. Esto no significa nada, ya que muchas mujeres prefieren llevar las ligas nuevas a su casa y ajustarlas allí al diámetro de su pierna, en vez de probarlas en la tienda donde las compran". Aquí es difícil suponer que el razonador actúe con buena intención. Si en su búsqueda del cuerpo de Marie, *monsieur* Beauvais encontró un cadáver que en sus medidas y apariencias generales correspondía a la joven desaparecida, cabe suponer que, sin tomar en cuenta para nada la cuestión de la vestimenta, debió imaginar que se trataba de ella. Si, además de las medidas y formas generales, descubrió en el brazo un vello cuyo aspecto correspondía al que había observado en vida de Marie, su opinión debió, con toda justicia, acentuarse, y el aumento de seguridad pudo muy bien estar en relación directa con la particularidad o rareza del vello del brazo. Si los pies de Marie eran pequeños, y también lo eran los del cadáver, el aumento de probabilidades de que éste correspondiera a aquélla no se daría ya en proporción meramente aritmética, sino geométrica o acumulativa. Agreguemos a esto los zapatos, análogos a los que Marie llevaba puestos el día de su desaparición; aunque dichos zapatos "se venden en lotes", aumenta a tal punto la probabilidad, que casi la vuelven certeza. Lo que en sí mismo no sería una prueba de identidad se convierte, por su posición corroborativa, en la más segura de las pruebas. Agréguese a esto las flores del sombrero, coincidentes con las que llevaba la joven desaparecida, y no pediremos nada más. Y si por una sola flor no exigiríamos otra prueba, ¿qué diremos de dos, o tres, o más? Cada una que se agrega es una prueba múltiple; no una prueba *sumada* a otra, sino *multiplicada* por cientos o miles. Descubramos ahora en el cadáver un par de ligas como las que usaba la difunta, y sería casi una locura seguir adelante. Pero, además, ocurre que estas ligas aparecen ajustadas, mediante el corrimiento de su broche, en la misma forma en que Marie había ajustado las suyas poco antes de salir de su casa. Dudar, ahora, es hipocresía o locura. Cuando *L'Etoile* sostiene que este acortamiento de las ligas es una práctica habitual, lo único que demuestra es su terquedad en el error. La calidad elástica de toda liga demuestra por sí misma que la necesidad de acortarla es muy poco frecuente. Lo que está hecho para ajustar por sí mismo sólo rara vez necesitará ayuda para cumplir su cometido. Sólo por accidente, en su más estricto sentido, las ligas de Marie requirieron ser acortadas. Y ellas solas hubieran bastado para asegurar ampliamente su identidad. Pero aquí no se trata de que el cadáver tuviera las ligas de la joven desaparecida, o sus zapatos, o su gorro, o las flores de su gorro, o sus pies, o una marca peculiar en el brazo, o su medida y apariencia generales, sino que el cadáver *tenía todo eso junto.* Si se pudiera probar que, ante esto, el redactor de *L'Etoile* verdaderamente tuvo dudas, no haría falta en su caso un mandato de *lunático inquirendo*[4]. A nuestro hombre le ha parecido muy sagaz hacerse eco de las charlas de los abogados, que, por su parte, se contentan con repetir los rígidos preceptos de los tribunales. Le haré notar aquí que mucho de lo que en un tribunal se rechaza como prueba constituye la mejor de las pruebas para la inteligencia. Sucede que el tribunal, guiándose por principios generales ya reconocidos y registrados, no tiene afición por apartarse de ellos en casos particulares. Y esta pertinaz adhesión a los principios, omitiendo totalmente las excepciones en conflicto, es un medio seguro para alcanzar el máximo de verdad alcanzable, en cualquier período que se extienda en el tiempo. Esta práctica, *en masse,* es, por lo tanto, razonable; pero no es menos cierto que encierra cantidad de equívocos particulares.

»Con respecto a las insinuaciones apuntadas contra Beauvais, pronto usted las desechará de un soplo. Supongo que ya habrá notado la verdadera naturaleza de este excelente caballero. Es un entrometido, lleno de fantasía romántica y con muy poco ingenio. En una situación verdaderamente

---

4   En latín, nombre que se le da a un certificado legal de insanía mental.

excitante como la presente, toda persona como él se conducirá de manera de provocar sospechas por parte de los excesivamente sutiles o de los mal dispuestos. Según surge de las notas reunidas por usted, *monsieur* Beauvais tuvo algunas entrevistas con el director de *L'Etoile*, y lo disgustó al aventurar la opinión de que el cadáver, pese a la teoría de aquél, era sin lugar a dudas el de Marie. "Insiste –dice el diario– en afirmar que el cadáver es el de Marie, pero no es capaz de señalar ningún detalle, fuera de los ya comentados, que imponga su creencia a los demás". Sin reiterar el hecho de que mejores pruebas "para imponer su creencia a los demás" no podrían haber sido nunca aducidas, conviene señalar que en un caso de este tipo un hombre puede muy bien estar convencido, sin ser capaz de proporcionar la menor razón de su convencimiento a un tercero. Nada es más vago que las impresiones referentes a la identidad personal. Cada uno reconoce a su vecino, pero pocas veces se está en condiciones de dar una razón que explique ese reconocimiento. El director de *L'Etoile* no tiene derecho de sentirse ofendido porque la creencia de *monsieur* Beauvais carezca de razones.

»Las circunstancias sospechosas que lo rodean encajan mucho mejor con mi hipótesis de entrometimiento romántico que con sugerir su culpabilidad, como lo hace el redactor. Una vez adoptada la interpretación más caritativa, no tendremos dificultad en comprender la rosa en el agujero de la cerradura, el nombre "Marie" en la pizarra, el haber "dejado de lado a los parientes masculinos de la difunta", la resistencia "a que los parientes de la víctima vieran el cadáver", la advertencia hecha a *madame* B... de que no debía decir nada al gendarme hasta que él, *monsieur* Beauvais, estuviera de regreso y, finalmente, su decisión aparente de que "nadie, fuera de él, se ocuparía de las actuaciones". Resulta fuera de toda discusión que Beauvais cortejaba a Marie, que ella coqueteaba con él, y que nuestro hombre estaba ansioso de que lo creyeran dueño de su confianza y vinculado íntimamente con ella. No voy a insistir sobre este aspecto. Por lo demás, las pruebas refutan perfectamente las afirmaciones de *L'Etoile* en lo relativo a la supuesta apatía por parte de la madre y otros parientes, apatía contradictoria con su convencimiento de que el cadáver era el de la joven; pasemos adelante, entonces, como si la cuestión de la *identidad* quedara probada con nuestro pleno convencimiento».

–¿Y qué cree usted –pregunté– de las opiniones de *Le Commerciel?*

–En esencia, son merecedoras de una atención mucho mayor que el total de las formuladas sobre este caso. Las deducciones que se derivan de las premisas son lógicas y agudas, aunque en ambos casos las premisas parten de observaciones imperfectas. *Le Commerciel* insinúa que Marie fue secuestrada por alguna banda de malvivientes en las cercanías de la casa de su madre. "Es imposible – dice– que una persona tan popularmente conocida como la joven víctima hubiera podido caminar tres cuadras sin que alguien la viera". Esta idea proviene de alguien que hace mucho tiempo vive en París, donde tiene su empleo, y cuyas andanzas en uno u otro sentido se limitan en su mayoría a la zona de las oficinas públicas. Este hombre sabe que muy rara vez se aleja más de doce cuadras de su oficina sin ser reconocido o saludado por alguien. Ante esta amplitud en sus relaciones personales, compara su notoriedad con la de la joven perfumista, sin advertir que entre ambas pueda haber gran diferencia, y llega a la conclusión de que, cuando Marie salía de paseo, no tardaba en ser reconocida por diversas personas, como en su caso. Pero esto podría ser cierto si Marie hubiese cumplido itinerarios regulares y metódicos, tan restringidos como los del redactor, y similares a los suyos. Nuestro razonador va y viene a intervalos regulares dentro de una periferia limitada, llena de personas que lo conocen porque sus intereses son iguales a los suyos, puesto que se ocupan de tareas similares. Pero es de suponer que los paseos que hacía Marie no tenían un rumbo tan preciso. En este caso en particular es muy probable que haya tomado por un camino distinto al de sus itinerarios acostumbrados. El paralelo que suponemos existía en la mente de *Le Commerciel* sólo es defendible si se trata de dos personas que atraviesan la ciudad de extremo a extremo. En este caso, si imaginamos que las relaciones personales de cada uno son equivalentes en número, también serán iguales las posibilidades de que cada uno encuentre el mismo número de personas conocidas. Por mi parte, no sólo creo posible, sino muy probable, que Marie haya andado por las diversas calles que unen su casa con la de su tía, sin encontrar a ningún conocido. Al analizar este aspecto como es debido, nunca se debe olvidar la gran desproporción entre las relaciones personales (incluso las del hombre más popular de París) y la población total de la ciudad.

»De cualquier manera, la fuerza que en apariencia puede tener la sugestión de *Le Commerciel* se reduce mucho si pensamos en la hora en que Marie abandonó su casa. "La calle estaba llena de gente cuando salió", dice *Le Commerciel;* sin embargo no es así. Eran las nueve de la mañana. Es cierto que durante toda la semana las calles están repletas de gente a esa hora. Pero no el domingo. Ese día, la mayoría de los vecinos se encuentra en su casa, preparándose para acudir a la iglesia. Ningún buen observador habrá dejado de reparar en el aspecto particularmente desierto de la ciudad, entre las ocho y las diez del domingo. Las calles están colmadas de diez a once, pero nunca en el período señalado anteriormente.

»En otro punto creo que *Le Commerciel* comienza a partir de una observación deficiente. "Un trozo de una de las enaguas de la desgraciada joven –dice–, de dos pies de largo por uno de ancho, le fue aplicado bajo el mentón y atado detrás de la cabeza, es posible que para ahogar sus gritos. Quienes hicieron esto no tenían pañuelo en el bolsillo". Ya veremos si esta idea está bien fundada o no; pero por "individuos que no tenían pañuelo en el bolsillo" el redactor entiende la peor calaña de malvivientes. Ahora bien, ocurre que precisamente éstos tienen siempre un pañuelo en el bolsillo, aunque carezcan de camisa. Habrá tenido usted ocasión de observar cuán indispensable se ha vuelto en estos últimos años el pañuelo para el matón más obstinado».

–¿Y qué habría que pensar –pregunté– del artículo de *Le Soleil?*

–Pues que es una lástima que su redactor no haya nacido loro, en cuyo caso se hubiera convertido en el más ilustre de su raza. Se ha limitado a repetir los distintos puntos de las publicaciones ajenas, eligiéndolos de uno y otro diario con un esfuerzo digno de alabanza. "Con toda evidencia –manifiesta– los objetos hallados llevaban en el lugar tres o cuatro semanas, por lo menos... No cabe ninguna duda, pues, que se ha descubierto el lugar de tan espantoso ataque". Los hechos señalados aquí por *Le Soleil* están sin embargo muy lejos de disipar mis dudas al respecto, y los examinaremos en detalle más adelante, relacionados con otro aspecto del asunto.

«Por ahora ocupémonos de otra cosa. Usted no habrá dejado de notar la extrema negligencia del examen del cadáver. Es cierto que la cuestión de la identidad quedó terminada o debió darse por terminada prontamente, pero había otros aspectos por verificar ¿No fue saqueado el cadáver? ¿No llevaba la difunta joyas al salir de su casa? En caso afirmativo, ¿se halló alguna al examinar el cuerpo? He aquí cuestiones importantes, por completo descuidadas durante la investigación, y quedan otras de igual importancia que no han merecido la menor atención. Debemos asegurarnos mediante indagaciones particulares. El caso de St. Eustache exige ser examinado otra vez. No tengo sospechas sobre él, pero debemos proceder metódicamente. Nos aseguraremos sin que quepa la más mínima duda sobre la validez de los testimonios escritos que presentó acerca de sus movimientos en el curso del domingo. Los certificados de este género suelen prestarse fácilmente al engaño. Si no hallamos nada anormal en ellos, desecharemos a St. Eustache de nuestra investigación. Su suicidio, que corroboraría las sospechas en caso de que los certificados fueran falsos, constituye una circunstancia perfectamente explicable en caso contrario, y que no debe apartarnos de nuestra línea normal de investigación.

»En lo que ahora nos concierne, dejaremos de lado los puntos interiores de la tragedia y concentraremos nuestra atención en su periferia. Uno de los errores en investigaciones de este tipo consiste en limitar la indagación a lo inmediato, con total negligencia de los acontecimientos colaterales o circunstanciales. Los tribunales suelen incurrir en la mala práctica de reducir los testimonios y los debates a los límites de lo que consideran pertinente. Sin embargo la experiencia ha demostrado, como siempre lo hará la buena lógica, que una parte muy grande de la verdad, quizá la más grande, surge de lo que se creía marginal y accesorio. Basándose en el espíritu de este principio, si no en su letra, la ciencia moderna se ha decidido a *calcular sobre lo imprevisto*. Pero quizá no me explico bien. La historia del conocimiento humano ha mostrado de forma retirada que la mayoría de los descubrimientos más importantes fueron producto de acontecimientos colaterales, incidentales o accidentales; se ha hecho necesario, entonces, con vistas al progreso, conceder el más amplio espacio a aquellas invenciones que nacen por casualidad y completamente al margen de las esperanzas ordinarias. Ya no es filosófico fundarse en lo que ha sido para alcanzar una visión de lo que será. El *accidente* se admite como una porción de la subestructura. Convertimos a la posibilidad en una cuestión de cálculo absoluto. Sometemos lo inesperado y lo nunca imaginado a las fórmulas matemáticas de las escuelas.

»Repito: es un hecho verificado que la *mayor* porción de toda verdad surge de lo colateral; y de acuerdo con el espíritu del principio que se deriva, desviaré la indagación de la huella tan transitada como estéril del hecho mismo, a fin de estudiar las circunstancias contemporáneas que lo rodean. Mientras usted se asegura de la validez de esos certificados, yo examinaré los periódicos en forma más general de lo que ha hecho usted hasta ahora. Por el momento sólo hemos reconocido el campo de investigación, pero sería raro que una ojeada panorámica como la que me propongo no nos brindara algunos detalles que indiquen una dirección para nuestro trabajo».

Cumpliendo con las indicaciones de Dupin, procedí a verificar cuidadosamente el asunto de los certificados. El resultado fue una plena seguridad en su validez y, por lo tanto, la inocencia de St. Eustache. Al mismo tiempo, mi amigo se ocupaba —con una minuciosidad que en mi opinión no tenía ningún sentido— de revisar los archivos de los diferentes diarios. Al cabo de una semana, me presentó los siguientes extractos:

«Tres años y medio atrás, la misma Marie Rogêt desapareció de la perfumería de *monsieur* Le Blanc, en el Palais Royal, y causó un revuelo parecido al de ahora. Una semana más tarde, Marie reapareció en el mostrador de la tienda, tan bien como siempre, salvo por una ligera palidez que no era usual en ella. *Monsieur* Le Blanc y *madame* Rogêt dieron a entender que Marie había pasado la semana en el campo, en casa de unos amigos, y el asunto fue rápidamente silenciado. Presumimos que esta ausencia responde a un capricho de la misma especie y que, dentro de una semana, o quizá al cabo de un mes, tendremos nuevamente a Marie entre nosotros» *(Evening Paper,* domingo 23 de junio).

«Un diario de la tarde de ayer se refiere a una misteriosa desaparición anterior de *mademoiselle* Rogêt. Es bien sabido que, durante la semana de su ausencia de la perfumería de Le Blanc, estuvo acompañada por un joven oficial de marina de notorio libertinaje. Es de suponer que una discusión afortunada la trajo de regreso a su casa. Conocemos el nombre del libertino en cuestión, que actualmente se encuentra en un destacamento en París, pero no lo hacemos público por razones comprensibles» *(Le Mercure,* mañana del martes 24 de junio).

«El ataque más repudiable de todos ha tenido lugar antes de ayer en las cercanías de esta ciudad. Al anochecer, un caballero que se hallaba de paseo con su esposa y su hija, comprometió los servicios de seis hombres jóvenes que paseaban en bote cerca de las orillas del Sena, a fin de que los transportaran al otro lado. Al llegar a destino los pasajeros desembarcaron, y se alejaban ya hasta perder de vista el bote cuando la hija descubrió que había olvidado su sombrilla. Al volver en su busca fue asaltada por la pandilla, llevada al centro del río, amordazada y sometida a un brutal ultraje, tras lo cual los villanos la depositaron en un punto cercano a aquel donde había embarcado con sus padres. Los miserables se hallan prófugos, pero la policía les sigue el rastro y a la brevedad procederá a la captura de algunos de ellos» *(Morning Paper,* 25 de junio).

«Hemos recibido una o dos comunicaciones cuyo objetivo era echar la culpa del horrible crimen a Mennais; sin embargo, este caballero fue plenamente exonerado de toda sospecha por la indagación legal, y los argumentos de nuestros distintos corresponsales parecen más entusiastas que profundos, no nos parece oportuno darlos a conocer» *(Morning Paper, 28 de junio).*

«Hemos recibido varios enérgicos mensajes que en apariencia proceden de diversas fuentes y que dan por seguro que la infortunada Marie Rogêt ha sido víctima de una de las numerosas bandas de malvivientes que infestan cada domingo los alrededores de la ciudad. Nuestra opinión se inclina decididamente en dirección de este supuesto. En nuestras próximas ediciones dejaremos espacio para exponer los argumentos pertinentes» *(Evening Paper,* martes 31 de junio).

«El lunes, uno de los lancheros del servicio de aduanas vio un bote vacío que flotaba en el Sena, a la deriva. La vela se encontraba en el fondo del bote. El lanchero lo remolcó y lo dejó en el amarradero de su puesto. A la mañana siguiente fue retirado de allí sin permiso de ninguno de los empleados. El timón se encuentra en el depósito de lanchas» *(La Diligence,* jueves 26 de junio).

Al leer los diversos pasajes, no sólo me parecieron ajenos al asunto, sino que no alcancé a imaginar la manera en que alguno de ellos pudiera tener relación con él. Esperé, entonces, que Dupin me diera alguna explicación.

—Por hora —dijo—, no me detendré en los dos primeros fragmentos. Los he copiado, sobre todo, para que usted viera la increíble negligencia de la policía, que, hasta donde puedo saberlo por el prefecto, no se ha tomado la molestia de interrogar al oficial de marina mencionado en uno de ellos. Sin embargo, sería una locura afirmar que entre la primera y la segunda desaparición de Marie no cabe suponer ninguna conexión. Admitamos que la primera fuga terminó con una discusión entre los enamorados y el regreso a su hogar de la decepcionada Marie. Ahora podemos encarar una segunda fuga o rapto (si en verdad se trata de ello) como índice de que el seductor ha iniciado sus avances una vez más y no como el resultado de la intervención de un segundo pretendiente. Miramos el asunto como una reconciliación entre enamorados y no como el comienzo de una nueva aventura. Hay diez probabilidades contra una de que el hombre que huyó una vez con Marie le haya propuesto una segunda escapatoria, y no que a la primera propuesta haya sucedido una segunda hecha por otro individuo. Además, le haré notar que el lapso entre la primera fuga (sobre la cual no cabe duda) y la segunda —presumible— abarca pocos meses más que la duración general de los cruceros de nuestros barcos de guerra. ¿Acaso los bajos designios del seductor fueron interrumpidos por la necesidad de embarcarse, y aprovechó la primera oportunidad a su retorno para renovar esos designios aún no completamente consumados... o, por lo menos, no completamente consumados por él? No sabemos nada de esto.

»Pero usted dirá que en el segundo caso no hubo en verdad una fuga. Está bien; pero, ¿estamos en condiciones de asegurar que no existió un designio frustrado? Además de St. Eustache, y quizá de Beauvais, no encontramos ningún pretendiente conocido de Marie. No se ha dicho una palabra sola que aluda a alguien más. ¿Quién es, entonces, ese amante secreto del cual los parientes de Marie (por lo menos, la mayoría) no saben nada, pero con quien la joven se reúne en la mañana del domingo, y que goza de su confianza hasta tal punto que no duda en permanecer a su lado hasta que cae la noche en los solitarios bosques de la Barrière du Roule? ¿Quién es ese enamorado secreto, pregunto, del cual los parientes (o casi todos) no conocen nada? ¿Y qué significa la extraña profecía proferida por *madame* Rogêt la mañana de la partida de Marie: "Temo que no volveré a verla nunca más"?

»Pero si no podemos suponer que *madame* Rogêt tenía algún conocimiento sobre la intención de fuga, ¿no podemos, por lo menos, imaginar que la joven tenía esa intención? Al salir de su casa dio a entender que iba a visitar a su tía en la rue des Drômes, y pidió a St. Eustache que la recogiera al anochecer. A primera vista, esto contradice abiertamente mi idea. Pero reflexionemos. Es bien sabido que Marie se encontró con alguien y cruzó el río en su compañía, llegando a la Barrière du Roule hacia las tres de la tarde. Al aceptar acompañar a este individuo (con cualquier propósito, conocido o no por su madre), Marie debió pensar en lo que había dicho al salir de su casa y en la sorpresa y sospecha que experimentaría su prometido, St. Eustache, cuando al acudir en su busca a la rue des Drômes se encontrara con que no había estado allí; sin contar que al volver a la pensión con esta alarmante noticia se enteraría de que su ausencia duraba desde la mañana. Repito que Marie debió pensar en todas esas cosas. Debió prever el enojo de St. Eustache y las sospechas de todos. No podía pensar en volver a casa para enfrentar esas sospechas; pero éstas dejaban de tener importancia si suponemos que Marie no tenía intenciones de regresar.

»Imaginemos así sus reflexiones: "Debo encontrarme con cierta persona para fugarme con ella o para otros propósitos que sólo yo sé. Es necesario que no se produzca ninguna interrupción; debemos contar con tiempo suficiente para evitar cualquier persecución. Daré a entender que pienso pasar el día en casa de mi tía, en la rue des Drômes, y diré a St. Eustache que no vaya a buscarme hasta la noche; de esta manera podré ausentarme de casa el mayor tiempo posible sin despertar sospechas ni ansiedad; todo estará perfectamente explicado y ganaré más tiempo que de cualquier otra manera. Si pido a St. Eustache que vaya a buscarme al anochecer, seguramente no se presentará antes; pero, si no se lo pido, contaré con menos tiempo, ya que todos esperarán que mi regreso a un horario más temprano, y mi ausencia provocará ansiedad rápidamente. Ahora bien, si tuviera la intención de volver a casa, si sólo me interesara dar un paseo con esa persona en cuestión, no me convendría pedir a St. Eustache que fuera a buscarme, ya que al llegar a la rue des Drômes se daría perfecta cuenta de que le he mentido, cosa que podría evitar saliendo de casa sin decirle nada, volviendo antes de la noche y declarando luego que estuve de visita en casa de mi tía. Pero como mi intención es la de no volver *nunca*, o no volver por algunas semanas, o no volver hasta que ciertos ocultamientos se hayan llevado a cabo, mi única preocupación debe ser de qué manera ganar tiempo".

»En sus apuntes usted ha hecho notar que la opinión general más difundida sobre este triste asunto es que la muchacha fue víctima de una pandilla de malvivientes. Ahora bien, y bajo ciertas condiciones, la opinión popular no debe ser despreciada. Si surge por sí misma, si se manifiesta de forma espontánea, debe considerarse paralelamente a esa intuición que es el privilegio de todo individuo de genio. En noventa y nueve casos sobre cien, me siento movido a conformarme con sus decisiones. Pero lo importante es estar seguros de que no hay en ella la más mínima huella de sugestión. La voz pública debe ser auténtica con rigurosidad, y a menudo resulta muy difícil percibir y mantener esa distinción. En este caso, me parece que la "opinión pública" referente a *una pandilla* se ha visto fomentada por el suceso colateral que se detalla en el tercero de los pasajes que le he mostrado. Todo París está en vilo por el descubrimiento del cadáver de Marie, una joven tan hermosa como conocida. El cuerpo muestra señales de violencia y aparece flotando en el río. Pero entonces se da a conocer que en esos mismos días en que se supone que

Marie fue asesinada, otra joven ha sido víctima de una pandilla de depravados y que sufrió un ultraje parecido al que sufrió la difunta. ¿Puede uno sorprenderse de que la atrocidad conocida haya ejercido influencia sobre la opinión popular con respecto a la desconocida? Ese juicio esperaba una dirección, y el ultraje ya conocido parecía indicarla oportunamente. Marie también fue encontrada en el río, y fue allí donde tuvo lugar el otro ataque. La relación entre ambos hechos era tan palpable, que lo asombroso hubiera sido que la opinión dejara de apreciarla y utilizarla. Pero, en realidad, si el primer ultraje tiene alguna utilidad, cometido en la forma conocida, es para probar que el segundo, ocurrido casi al mismo tiempo, *no fue cometido del mismo modo*. Hubiera sido un milagro que, mientras una banda de malvivientes perpetraba en cierto lugar un ataque de lo más repugnante que existe, otra banda similar, en un lugar igualmente similar, en la misma ciudad, bajo circunstancias idénticas, con los mismos medios y recursos, estuviera entregada a un ataque de la misma naturaleza y en el mismo período de tiempo. Sin embargo, la opinión popular movida de esta forma busca justamente hacernos creer en esa extraordinaria serie de coincidencias.

»Antes de continuar, consideremos la supuesta escena del asesinato en el monte de la Barrière du Roule. Aunque denso, el monte se halla en las proximidades de un sendero público. En su interior había tres o cuatro grandes piedras que formaban una especie de asiento, con respaldo y escabel. Sobre la piedra superior se encontraron unas enaguas blancas; en la segunda una chalina de seda. Aparecieron también una sombrilla, guantes y un pañuelo de bolsillo. El pañuelo llevaba el nombre "Marie Rogêt". En las zarzas había jirones de ropa. La tierra estaba pisoteada, las ramas estaban rotas y no cabía duda de que allí había tenido lugar una violenta lucha.

»A pesar del entusiasmo de la prensa sobre el descubrimiento de este monte y la unanimidad con que aceptó que constituía el escenario del ataque, es preciso admitir la existencia de motivos de duda muy serios. Puedo o no creer que ése sea el escenario, pero insisto en que hay muchos motivos de duda. Si, como lo sugiere *Le Commerciel*, el verdadero escenario se encontrara en las cercanías de la rue Pavee St. André y quienes cometieron crimen se hallaran todavía en París, éstos debieron quedarse aterrados al ver que la atención pública era orientada con tanta agudeza por la buena senda. Cierto tipo de inteligencia no habría tardado en entender que era necesario dar un urgente paso que desviara la atención. Y puesto que el monte de la Barrière du Roule ya había dado motivo a sospechas, la idea de depositar allí los objetos que se encontraron era perfectamente natural. Pese a lo que dice *Le Soleil*, no existe verdadera prueba de que los objetos hayan estado allí mucho más de algunos días, mientras que abundan las pruebas circunstanciales de que no podrían haberse encontrado en el lugar sin despertar la atención durante los veinte días transcurridos desde el domingo fatal a la tarde en que fueron hallados por los niños. "Los efectos —dice *Le Soleil*, siguiendo la opinión de sus predecesores— aparecían estropeados y *enmohecidos* por la acción de las lluvias; el *moho* los había pegado entre sí. El pasto había crecido en torno y encima de algunos de ellos. La seda de la sombrilla era muy fuerte, pero sus fibras se habían adherido unas a otras por dentro. La parte superior, de tela doble y forrada, estaba *enmohecida* por la acción de la intemperie y se rompió al querer abrirla". En relación al pasto "que había crecido en torno y encima de algunos de ellos", no cabe duda de que el hecho sólo pudo ser registrado partiendo de las declaraciones y los recuerdos de dos niños, ya que éstos levantaron los efectos y los llevaron a su casa antes de que los viera un tercero. Ahora bien, en un clima caluroso y húmedo (como el correspondiente al momento del crimen) el pasto crece, en un solo día, hasta dos o tres pulgadas. Una sombrilla tirada en un campo recién sembrado de césped quedará completamente oculta en una semana. Y en cuanto a ese moho sobre el cual *Le Soleil* insiste al punto de utilizar tres veces el término o sus sinónimos en un solo y breve comentario, ¿cómo puede ignorar sus características? ¿Habrá que explicarle que se trata de una de las muchas variedades de *fungus*, cuya característica más común es que nace y muere en un lapso de veinticuatro horas?

»De modo que vemos, de una ojeada, que todo aquello que con tanta soberbia se ha aducido para sostener que los objetos habían estado "tres o cuatro semanas por lo menos" en el monte, reviste total nulidad como prueba. Por otra parte, es difícil creer que esos efectos pudieron quedar en el monte durante más de una semana (digamos de un domingo a otro). Quienes saben algo sobre las afueras de París no ignoran lo difícil que es *aislarse* en ellos, a menos que uno se aleje mucho de los suburbios. Ni por un instante es posible imaginar un sitio inexplorado o muy poco frecuentado entre sus bosques o montes. Imaginemos a un enamorado de la naturaleza, atado por sus deberes al polvo y al calor de la ciudad, que pretenda, incluso en días de semana, apaciguar su sed de soledad en los lugares llenos de encanto natural que rodean la ciudad. A cada paso nuestro excursionista verá disiparse el creciente encanto ante la voz y la presencia de algún individuo peligroso o de una pandilla de malvivientes en plena fiesta. Buscará la soledad en lo más denso de la vegetación, pero será inútil. Allí están los rincones específicos donde abundan los canallas, allí están los templos más profanados. Lleno de repugnancia, nuestro paseante regresará a toda prisa al sucio París, mucho menos odioso como sumidero que esos lugares donde la suciedad resulta tan incongruente. Pero si las afueras de París se ven colmadas durante la semana, ¿qué decir de un domingo? En ese día, precisamente, el matón que se ve libre del peso del trabajo o no tiene oportunidad de cometer ningún delito, busca las afueras de la ciudad, no porque sienta gusto por la campiña, ya que la desprecia, sino porque allí puede escapar a las restricciones y convenciones sociales. No busca el aire fresco y el verde de los árboles, sino la absoluta licencia del campo. Allí, en la posada al borde del camino o bajo las copas de los bosques, se entrega sin otros testigos que sus camaradas a los desatados excesos de la falsa alegría, doble resultado de la libertad y del ron. Lo que sostengo puede ser comprobado por cualquier observador desapasionado: habría que considerar que es una especie de milagro que los artículos en cuestión hubieran permanecido ocultos durante más de una semana en cualquiera de los montes de los alrededores inmediatos de París.

»Pero además hay otros motivos para sospechar que esos efectos fueron dejados en el monte con el objetivo de distraer la atención de la verdadera escena del ataque. En primer término, observe usted la fecha de su descubrimiento y relaciónela con la del quinto pasaje que yo extraje de los diarios. Podrá observar que el descubrimiento siguió casi inmediatamente a los mensajes urgentes enviados al diario. Aunque diversos y, al parecer, provenientes de distintas fuentes, todos ellas tenían el mismo propósito, vale decir a dirigir la atención hacia una pandilla como la responsable del ataque en las cercanías de la Barrière du Roule. Entonces, lo que debe observarse es que esos objetos no fueron encontrados por los muchachos como consecuencia de dichas comunicaciones o por la atención pública que las mismas habían provocado, sino que los efectos no fueron encontrados antes por la sencilla razón de que no se encontraban en el monte, y que fueron depositados allí en la fecha o muy poco antes de la fecha de las comunicaciones al diario por los culpables, autores de esos mismos mensajes.

»Dicho monte es un lugar de gran particularidad. La vegetación es muy densa, y dentro de los límites cercados por ella aparecen tres extraordinarias piedras *que forman un asiento con respaldo y escabel.* Este monte, tan lleno de arte, se encuentra en el barrio inmediato, a muy escasa distancia de la vivienda de *madame* Deluc, cuyos hijos tienen la costumbre de explorar al detalle los arbustos en busca de corteza de sasafrás. ¿Acaso sería falta de sensatez apostar –y hacerlo mil contra uno– que no hubo un solo día sin que alguno de los niños entrara en aquel sombrío recinto vegetal y se apostara en el trono natural que forman las piedras? Quien tuviera dudas en hacer esa apuesta jamás ha sido niño o ha olvidado cómo es el carácter infantil. Lo repito: es muy difícil comprender cómo esos efectos permanecieron en el monte más de uno o dos días sin ser descubiertos. Y esto nos proporciona un sólido terreno para sospechar –pese a la dogmática ignorancia de *Le Soleil*– que fueron arrojados en ese sitio en una fecha tardía en comparación.

»Pero todavía hay otras razones, aun más sólidas, para creer esto último. Permítame señalarle lo artificioso del modo en que estaban distribuidos los efectos. En la piedra más alta había unas enaguas blancas; en la segunda, una chalina de seda; tirados alrededor, una sombrilla, guantes y un pañuelo de bolsillo con el nombre "Marie Rogêt". He aquí una distribución que naturalmente haría una persona no demasiado sagaz buscando dar la impresión de naturalidad. Pero esta disposición no tiene nada de natural. Lo más lógico hubiera sido suponer que todos los efectos estarían pisoteados en el suelo. Parece difícil que, en los límites estrechos de esa enramada, las enaguas y la chalina hubiesen podido quedar sobre las piedras, mientras eran sometidas a los tirones en uno y otro sentido de varias personas en lucha. Se dice que "la tierra estaba removida, rotos los arbustos y no cabía duda de que había tenido lugar una lucha". Pero las enaguas y la chalina aparecen colocadas allí como en los cajones de una cómoda. "Los jirones del vestido en las zarzas tenían unas tres pulgadas de ancho por seis de largo. Uno de ellos correspondía al dobladillo del vestido y había sido remendado... *Daban la impresión de pedazos arrancados*". Aquí, inadvertidamente, *Le Soleil* emplea una frase que despierta una sospecha extraordinaria. Según describe, en efecto, los jirones "dan la impresión de pedazos arrancados", pero arrancados a mano y deliberadamente. Es un accidente rarísimo que, en ropa como la que nos ocupa, un jirón "sea arrancado" por *una espina*. Dada la naturaleza de semejantes tejidos, cuando una espina o un clavo se engancha en ellos, los desgarra rectangularmente, dividiéndolos en dos desgarraduras longitudinales en ángulo recto, que se encuentran en un vértice constituido por el punto donde ingresa la espina; así resulta casi imposible concebir que el jirón "sea arrancado". Por mi parte no lo he visto nunca, y usted tampoco. Para arrancar un pedazo de semejante tejido hará falta casi siempre la acción de dos fuerzas actuando en diferentes direcciones. Sólo si el tejido tiene dos bordes, como, por ejemplo, en el caso de un pañuelo, y se desea arrancar una tira, bastará con una sola fuerza. Pero en esta instancia se trata de un vestido que no tiene más que un borde. Para que una espina pudiera arrancar una tira del interior, donde no hay ningún borde, hubiera hecho falta un milagro, además de que no sería suficiente con una sola espina. Aun si existiera un borde, sería necesaria la presencia de dos espinas, de las cuales una actuaría en dos direcciones y la otra en una. Y conste que en este caso suponemos que el borde no tiene dobladillo. Si lo estuviera, no existiría la menor posibilidad de arrancar una tira. Vemos, entonces, los muchos y grandes obstáculos que tienen las espinas para "arrancar" tiras de una tela, y, sin embargo, se pretende que creamos que así fueron arrancados varios jirones. ¡Y uno de ellos *correspondía al dobladillo del vestido!* Otra de las tiras *era parte de la falda, pero no del dobladillo.* Es decir que había sido arrancado por completo por las espinas del interior sin bordes del vestido. Bien podemos ser perdonados por no dar crédito a semejantes cosas; y, sin embargo, tomadas de forma colectiva, quizá ofrecen menos espacio a la sospecha que la sola y sorprendente circunstancia de que esos efectos hubieran sido abandonados en el monte por asesinos que se habían tomado el trabajo de transportar el cadáver. Sin embargo, usted no habrá comprendido mi pensamiento con claridad si supone que mi intención es negar que el monte haya sido el lugar de la escena del crimen. La atrocidad pudo ocurrir en ese lugar o, más probablemente, un accidente pudo producirse en la posada de *madame* Deluc. Pero se trata de un punto de menor importancia. Nuestra intención no es descubrir el escenario del crimen, sino encontrar a quienes lo cometieron. Lo que he señalado, a pesar de lo minucioso de mis argumentos, tiene por finalidad, en primer lugar, demostrar lo absurdo de las afirmaciones dogmáticas y aventuradas de *Le Soleil,* y en segundo término, y de modo muy especial, guiarlo por una ruta natural a un nuevo análisis de una incógnita: la de si este asesinato ha sido o no la obra de una pandilla.

»Procedamos a resumir el asunto aludiendo en forma breve a los odiosos detalles que surgen de las declaraciones del médico forense en la indagación judicial. Es suficiente con señalar que sus inferencias acerca del número de los bandidos que formaron parte del ataque fueron ridiculizadas como injustas y por completo privadas de fundamento de acuerdo con los mejores anatomistas de París. No es que aquello *no haya podido ser* como se infiere, sino que no había fundamentos para llegar a esa inferencia. ¿Y, en cambio, no los había para otra?

»Pensemos ahora sobre "las huellas de una lucha" y preguntémonos qué es lo que esas huellas logran demostrar. ¿Una pandilla? ¿Pero acaso no demuestran, por el contrario, la ausencia de una pandilla? ¿Qué lucha podía tener lugar, tan violenta y prolongada, como para dejar "huellas" hacia todas direcciones entre una muchacha débil e indefensa y la supuesta pandilla de malvivientes? El abrazo silencioso de unos pocos brazos fuertes y todo habría llegado a su final. La víctima debía quedar reducida a una pasividad absoluta. Usted recordará que los argumentos utilizados acerca del monte como escenario de lo ocurrido se aplican, en mayor medida, a un ultraje cometido *por más de un individuo*. Sólo si imaginamos a un violador es posible concebir (y sólo entonces) una lucha tan violenta y persistente como para dejar "huellas" semejantes.

»Ya me he referido a la sospecha que surge de que los objetos referidos fueran abandonados en el monte. Parece casi imposible que pruebas de culpabilidad como ésas hayan sido dejadas por accidente donde se las halló. Si suponemos una suficiente presencia de ánimo para retirar el cadáver, ¿qué podemos pensar de una prueba aun más positiva que el cuerpo mismo (cuyas facciones hubieran sido borradas prontamente por la descomposición) abandonada a la vista de cualquiera en la escena del ataque? Estoy hablando del pañuelo con el nombre de la muerta. Si quedó allí por accidente, no quedan dudas de que no se trató de una pandilla. Un accidente así sólo puede imaginarse relacionado con una sola persona. Veamos: un sujeto acaba de cometer su crimen. Se encuentra solo con el fantasma de la difunta. Siente terror por eso que yace inerte ante sus ojos. El arrebato de su pasión ha desaparecido y, en su pecho, se abre paso el miedo por lo que acaba de hacer. Carece de esa confianza que inspira la presencia de otros. Está solo con el cadáver. Tiembla, está confundido... Pero resulta imperioso esconder el cuerpo. Lo arrastra hacia el río, dejando atrás todas las otras pruebas de su culpabilidad; sería difícil, si no imposible, llevar todo a la vez, y además no habrá dificultad en regresar más tarde en busca del resto. Sin embargo en ese forzoso camino hacia el agua su miedo se hace aun más fuerte. Los sonidos de la vida acechan en su recorrido. Oye, o cree oír, diez veces los pasos de un testigo. Incluso lo asustan las luces de la ciudad. Así y todo, tras pausas largas y frecuentes, llenas de una ansiedad espantosa, alcanza la orilla del río y hace desaparecer su horrible carga, quizá con ayuda de un bote. Sin embargo ahora, ¿qué tesoros esconde el mundo, qué amenazas de venganza para impulsar al solitario asesino a recorrer una vez más el trabajoso y arriesgado camino hasta el monte, donde quedan los recuerdos espeluznantes de lo que acaba de suceder? No, no volverá, no importa cuáles sean las consecuencias. Incluso si así lo quisiera, no podría volver. Tiene un único pensamiento y es escapar cuanto antes. Da la espalda para siempre a esos terribles bosques y huye como de una maldición.

»¿Sucedería de la misma forma si hubiese sido una banda? Su número les habría inspirado confianza mutua, en el caso de que la confianza alguna vez desaparezca del pecho de un criminal empedernido; y sólo podemos suponer a una pandilla conformada por individuos de esa calaña. De manera que su número, entonces, hubiera frenado el temor incontrolable y alocado que, según imagino, tuvo que haber paralizado a un único hombre. Si bien podemos suponer que uno, dos o tres tengan un descuido, sin duda el cuarto habría pensado en ello. No hubiesen dejado ninguna huella a sus espaldas, ya que su número les permitía llevarse todo de una sola vez. No tenían ninguna necesidad de regresar.

»Ahora considere el hecho de que en el vestido que llevaba el cadáver cuando fue encontrado, "Una tira de un pie de ancho había sido arrancada del vestido, desde el ruedo de la falda hasta la cintura. Aparecía envuelta tres veces en la cintura y asegurada mediante una especie de venda en la espalda". Esto fue hecho con la intención evidente de formar un asa que sirviera para transportar el cuerpo. Pero, si se hubiera tratado de varios hombres, ¿habrían tenido la necesidad de un recurso semejante? Para tres o cuatro de ellos, los brazos y piernas del cadáver resultaban no sólo un buen asidero, quizás el mejor posible. El sistema empleado corresponde a un solo individuo, y esto nos lleva al hecho de que "entre el monte y el río se descubrió que los vallados habían sido derribados y la tierra mostraba señales de que se había arrastrado una pesada carga". ¿Usted cree que varios individuos se hubieran embarcado en la inútil tarea de derribar un vallado para arrastrar un cuerpo que podían pasar por arriba en apenas un momento? ¿Cree usted que varios hombres hubieran arrastrado un cuerpo al punto de dejar todas esas huellas?

»Aquí corresponde referirse a una observación de *Le Commerciel*, que en alguna medida ya mencioné con anterioridad: "Un trozo de una de las enaguas de la infortunada muchacha —dice— de dos pies de largo por uno de ancho, le fue aplicado bajo el mentón y atado detrás de la cabeza, es probable que para ahogar sus gritos. Quienes cometieron este acto no tenían pañuelo en el bolsillo".

»Ya he hecho notar que a un verdadero malviviente nunca le falta un pañuelo. Pero ahora no me refiero a eso. Que ese nudo no fue utilizado por falta de pañuelo y para los fines que supone *Le Commerciel*, lo demuestra el hallazgo del pañuelo en el lugar del hecho; y que su finalidad no era la de "ahogar sus gritos", surge de que se haya utilizado esa atadura en vez de algo que hubiera sido mucho más adecuado. Pero los términos de los testimonios aluden a la tira en cuestión refiriéndose a que "apareció alrededor del cuello, pero no apretada, aunque había sido asegurada con un nudo muy firme". Se trata de términos bastante vagos, pero por completo distintos de los de *Le Commerciel*. La tira tenía dieciocho pulgadas de ancho y, por lo tanto, aunque fuera de muselina, constituía una banda muy fuerte si se la doblaba sobre sí misma longitudinalmente. Es así como se la encontró. Lo que deduzco es lo siguiente: El asesino solitario, tras cargar el cuerpo durante un trecho (sea desde el monte u otra parte) ayudándose con la tira atada a la cintura, entendió que el peso era excesivo para sus fuerzas. Es entonces cuando decidió arrastrar su carga, y la investigación demuestra que, en efecto, el cuerpo fue arrastrado. Para ello era necesario atar una especie de cuerda a una de las extremidades. El lugar indicado era el cuello, ya que la cabeza impediría que se zafara. En este punto, el asesino debió pensar en la tira alrededor de la cintura de la víctima. Hubiera querido usarla, pero se le planteaba el inconveniente de que estaba envuelta al cadáver, sujeta por un nudo, sin contar que no había sido arrancada en su totalidad del vestido. Era más sencillo arrancar una nueva tira de las enaguas. Así lo hizo, ajustándola al cuello, y fue la forma en que arrastró a su víctima hasta la orilla del río. El hecho de que este lazo, difícil y obtenido con dificultad y adecuado sólo a medias a su objetivo, fuera sin embargo empleado por el asesino, surge del hecho de que éste ya se encontraba demasiado lejos para emplear la chalina, es decir, después de que hubo abandonado el monte (si se trataba del monte) y cuando se hallaba a mitad del recorrido entre éste y el río.

»Usted dirá que el testimonio de *madame* Deluc está especialmente dirigido a la presencia de una pandilla en las cercanías del monte, aproximadamente, en el momento del asesinato. Estoy de acuerdo. Incluso me pregunto si no había una docena de pandillas como la que describe *madame* Deluc en la zona de la Barrière du Roule y en el momento aproximado de la tragedia. Pero la pandilla que se ganó la marcada enemistad –y el testimonio tardío y bastante sospechoso– de *madame* Deluc, es la única a la cual esta honesta y escrupulosa anciana reprocha haberse regalado con sus pasteles y haber bebido su coñac sin tomarse la molestia de pagar los gastos. *Et hinc illæ iræ?*

»Pero, ¿cuál es el testimonio exacto de *madame* Deluc? "se presentó una pandilla de malvivientes, quienes actuaron de forma escandalosa, comieron y bebieron sin pagar, siguieron luego la ruta que habían tomado los dos jóvenes y regresaron a la posada al anochecer, volviendo a cruzar el río como si llevaran gran prisa".

»Pues bien, esta "gran prisa" probablemente debió parecer más grande a ojos de *madame* Deluc, quien reflexionaba con tristeza y nostalgia acerca de la profanación de sus pasteles y su cerveza, y por los cuales debió abrigar aún alguna esperanza de compensación. ¿Por qué, si no, se refirió a la prisa, desde el momento que ya era "el anochecer"? No hay ninguna razón para asombrarse de que una banda de malvivientes se apresure a volver a casa cuando queda por cruzar en bote un ancho río, cuando amenaza tormenta y se acerca la noche. Digo que *se acerca*, pues la noche aún no había caído. Era tan sólo "al anochecer" cuando la prisa indecente de aquellos "bandidos" ofendió los ojos modestos de *madame* Deluc. Pero sabemos que esa misma noche, tanto *madame* Deluc como su hijo mayor, "oyeron los gritos de una mujer cerca de la posada". ¿Y qué palabras elige *madame* Deluc para indicar el momento de la noche en que escuchó esos gritos? "Poco *después de oscurecer*", dice. Pero "poco *después* de oscurecer" significa que ya ha oscurecido. Vale decir, resulta perfectamente claro que la pandilla abandonó la Barrière du Roule *antes* de que se produjeran los gritos escuchados (?) por *madame* Deluc. Y si bien en las muchas transcripciones del testimonio las expresiones en cuestión son clara e invariablemente empleadas como acabo de hacerlo en mi conversación con usted, hasta ahora ninguno de los diarios parisienses, ni ninguno de los funcionarios policiales, ha señalado una discrepancia tan grande.

»Voy a añadir sólo un argumento contra la idea de una pandilla, pero el mismo tiene, en mi opinión, un peso irresistible. Dada la enorme recompensa ofrecida y el pleno perdón que se concede por toda declaración probatoria, no cabe imaginar un solo instante que algún miembro de una pandilla de miserables criminales —o de cualquier pandilla— no haya traicionado hace rato a sus cómplices. En una pandilla que se encuentra ante una situación así, cada uno de sus miembros no tiene tanto interés en la recompensa o la impunidad, como temor de ser traicionado. Se apresura a delatar lo antes posible, con el objetivo de no ser delatado por los demás. El hecho de que el secreto no haya sido divulgado es la mejor prueba de que en verdad se trata de un secreto. Los horrores de ese terrible ataque sólo son conocidos por Dios y por una o dos personas.

»Resumamos el pobre pero evidente resultado de nuestro análisis. Hemos arribado, ya sea a la idea de un accidente fatal en la posada de *madame* Deluc, o de un asesinato perpetrado en el monte de la Barrière du Roule por un amante o, en todo caso, por alguien vinculado íntima y secretamente con la fallecida. Esta persona es de tez morena. Dicha tez, la ligadura en la tira que rodeaba el cuerpo, y el "nudo de marinero" con el cual apareció atado el cordón de la cofia, apuntan a un marino. Su camaradería con la difunta, joven alegre pero no depravada, lo señala como perteneciente a un grado superior al de simple marinero. Las comunicaciones al diario, escritas de modo correcto, en gran medida corroboran lo anterior. La circunstancia de la primera fuga, tal cual la menciona *Le Mercure,* establece una conexión entre la idea de este marino con la del "oficial de marina", de quien se conoce que fue el primero en empujar a la desgraciada víctima a llevar a cabo una irregularidad.

»Y aquí, de la manera más justa, interviene el hecho de la continua ausencia del hombre moreno. Permítame que le indique, de paso, que la tez referida es morena y atezada; no es un color moreno común el que atrajo la atención tanto de Valence como de *madame* Deluc. Pero, ¿por qué este hombre está ausente? ¿Fue asesinado por la pandilla? Si es así, ¿cómo no hay más que huellas de la joven asesinada? Es natural suponer que los dos ataques se produjeron en el mismo lugar. ¿Y dónde está su cadáver? Con toda probabilidad, los asesinos hubieran hecho desaparecer a ambos utilizando el mismo método. Pero lo que cabe suponer es que este hombre está vivo, y que se encuentra impedido a darse a conocer por miedo a que lo acusen del crimen. Este motivo es el que en la actualidad influye sobre él, en esta última fase de la investigación, ya que los testimonios han señalado que se lo vio con Marie; pero no tenía ninguna influencia en el período inmediato al crimen. Un inocente hubiera tenido un primer impulso de denunciar el ataque y ayudar a identificar a los culpables. Era lo que correspondía. El hombre había sido visto con la joven. Cruzó el río con ella en un ferry. Incluso para un disminuido mental, la denuncia de los asesinos era el único medio y el más seguro para librarse personalmente de cualquier sospecha. No podemos imaginarlo, en la noche del fatídico domingo, inocente y a la vez ignorando el ataque que acababa de suceder. Y, sin embargo, sólo cabría suponer esas circunstancias para concebir que no hubiese denunciado a los asesinos en caso de encontrarse con vida.

»¿Con qué medios contamos para llegar a la verdad? A medida que avancemos los veremos multiplicarse y volverse más claros. Saquemos la paja del trigo hasta el fondo la cuestión de la primera huida. Busquemos documentos sobre la historia de "el oficial", con sus circunstancias actuales y sus andanzas cuando ocurrió el asesinato. Comparemos entre sí y con mucho cuidado las distintas comunicaciones enviadas al diario de la noche, cuyo propósito era inculpar a una pandilla. Hecho esto, comparemos dichas comunicaciones, tanto desde el punto de vista del estilo como de su presentación, con las enviadas al diario de la mañana, en un período anterior, y que tenían por finalidad insistir con vehemencia en la culpabilidad de Mennais. Una vez hecho todo esto, comparemos la totalidad de esas comunicaciones con papeles escritos de puño y letra por el susodicho oficial. Tratemos de asegurarnos, a través interrogatorios reiterados a *madame* Deluc y a sus hijos, así como a Valence, el conductor del ómnibus, de obtener más detalles sobre la apariencia personal del "hombre de la tez morena". Si son dirigidas con habilidad, estas indagaciones no dejarán de proporcionar informaciones sobre estos puntos particulares (o sobre otros), que incluso los interrogados pueden desconocer que se encuentran en condiciones de proporcionar. Y sigamos entonces la huella del bote que recogió el lanchero en la mañana del lunes veintitrés de junio, bote que fue retirado, sin el timón, del depósito de lanchas, a escondidas del empleado de turno y en un momento anterior al descubrimiento del cadáver. Con la debida precaución y perseverancia daremos infaliblemente con ese bote, pues no sólo el lanchero que lo encontró puede identificarlo, sino que tenemos su timón. El gobernalle de un bote de vela no hubiera sido abandonado fácilmente, si se tratara de alguien que no tenía nada que reprocharse. Y aquí haré un paréntesis para insinuar un detalle. El hallazgo del bote a la deriva no fue anunciado en el momento. Conducido con discreción al depósito de lanchas, fue retirado con la misma discreción. Pero su propietario o usuario, ¿cómo pudo saber, en la mañana del martes y sin ayuda de ningún anuncio, dónde se hallaba el bote, excepto que supongamos que está vinculado de alguna manera con la marina, y que ese vínculo personal y permanente le permitía tener información sobre sus minúsculas novedades y sus mínimas noticias locales?

»Al referirme a un asesino solitario que arrastra a su víctima hasta la costa, ya he sugerido la posibilidad de que hubiera empleado un bote. Ahora podemos sostener que Marie Rogêt fue arrojada al agua desde un bote, lo cual me parece lógico, ya que no se podía confiar el cadáver a las poco profundas aguas de la costa. Las peculiares marcas de la espalda y hombros de la víctima apuntan a las cuadernas del fondo de un bote. Esta idea también está corroborada en el hecho de que el cadáver fuera encontrado sin un peso como lastre. Si hubiera sido echado al agua desde la costa, le habrían agregado algún peso. Es de suponer que su ausencia se debió a un descuido del asesino, que olvidó llevarlo consigo cuando se alejó río adentro. En el momento de lanzar el cuerpo al agua debió de advertir su olvido, pero no tenía nada a mano para resolverlo. Tuvo que preferir cualquier riesgo antes que volver a aquella terrible playa. Luego, libre de su carga fúnebre, el asesino se apresuró a regresar a la ciudad. Allí, en algún muelle iluminado defectuosamente, saltó a tierra. En cuanto al bote, ¿lo amarraría allí mismo? Debió de proceder con demasiado apuro para pensar en eso. Además, en caso de darle amarre, hubiera sentido que estaba dejando tras de sí pruebas contra él mismo. Su reacción natural debió de ser alejar lo más posible todo lo que tuviera alguna relación con el asesinato. No sólo quería escapar de aquel muelle, sino que tampoco permitiría que el bote quedara en ese sitio. Seguramente lo dejó a la deriva. Pero continuemos con nuestras suposiciones. A la mañana siguiente, el miserable se siente atrapado por el horror más inexpresable cuando se entera que el bote ha sido recogido y llevado a un lugar que él frecuenta a diario; un lugar donde quizá debe acudir seguido a causa de sus obligaciones. A la noche siguiente, sin atreverse a pedir el timón, se apodera del bote. Ahora bien: ¿dónde está ese bote sin gobernalle? Descubrirlo debe constituir uno de nuestros primeros propósitos. De la luz que arroje ese descubrimiento empezará a despuntar el día de nuestra victoria. Con una rapidez que nos resultará sorprendente, el bote nos guiará hasta aquel que lo utilizó en la medianoche del fatídico domingo. Una verificación dará lugar la siguiente y el asesino será identificado».

Por razones que no especificaremos, pero que resultarán obvias a muchos lectores, nos hemos tomado la libertad de omitir la parte del manuscrito confiado a nuestras manos dónde se detalla el seguimiento de la pista apenas perceptible lograda por Dupin. Sólo nos parece conveniente dejar constancia, en resumen, de que los resultados previstos fueron alcanzados, y que el prefecto cumplió fielmente, aunque sin muchas ganas, los términos de su convenio con el *chevalier*. El artículo del señor Poe concluye con las siguientes palabras *(Los directores)*:

Se comprenderá que hablo de coincidencias y nada más. Lo que he dicho sobre este punto debe ser suficiente. Mi corazón no guarda ninguna fe sobre lo preternatural. Que la naturaleza y su Dios son dos, nadie con raciocinio lo podrá negar. Que el segundo, creador de la primera, puede controlarla y modificarla a su voluntad, es también incuestionable. Digo «a su voluntad» porque se trata de una cuestión de voluntad y no, como supone el extravío de la lógica, de poder. No es que la Deidad no sea capaz de modificar sus leyes, sino que la insultamos cuando suponemos que es posible que necesite de modificación. En sus orígenes, esas leyes fueron erigidas para alcanzar cada una de las contingencias que podrían presentarse en el futuro. Cuando se trata de Dios, todo es ahora.

Repito, entonces, que sólo me refiero a estas cosas como coincidencias. Aún más: en lo que he relatado se verá que entre el destino de la desgraciada Mary Cecilia Rogers (hasta donde conocemos dicho destino) y el de una tal Marie Rogêt (hasta un momento dado de su historia) existió un paralelo de una exactitud tan extraordinaria que frente a él la razón se siente confundida. He dicho que esto se verá. Pero ni por un solo instante se suponga que, al continuar con la triste narración referente a Marie desde la época mencionada, y seguir hasta su final el misterio alrededor de su muerte, abrigo alguna intención encubierta de insinuar que el paralelo continúa, o sugerir que las medidas que se adoptaron en París para el descubrimiento del asesino de una *grisette,* o cualquier medida fundada en razonamientos similares, producirían resultados equivalentes en el otro caso.

Es necesario tener en cuenta —refiriéndonos a la última parte de la suposición— que la más insignificante variación en los hechos de los dos casos podría dar motivo a los más grandes errores al hacer tomar a ambas series de eventos distintas direcciones; así como, en aritmética, un error que en sí mismo es insignificante, por mera multiplicación en los distintos pasos de un proceso llega a producir un resultado alejado enormemente de la verdad. Con relación a la primera parte de las suposiciones, no debemos olvidar que el cálculo de probabilidades al cual me referí antes prohíbe cualquier idea de la prolongación del paralelismo, y lo hace con una fuerza y decisión proporcionales a la medida en que dicho paralelo se ha mostrado hasta entonces exacto y acertado. Esta es una de esas proposiciones anómalas que, aunque en apariencia reclama un pensar distinto al pensamiento matemático, sólo puede ser abarcada en su totalidad por una mente matemática. Por ejemplo, nada más difícil que convencer al lector común de que el hecho de que un jugador de dados haya obtenido el seis dos veces, bastará para apostar que no volverá a salir en la tercera tentativa. El intelecto rechaza casi siempre toda idea en esa dirección. No se acepta que dos tiros ya efectuados, y que pertenecen por completo al pasado, puedan tener alguna influencia sobre un tiro que sólo existe en el futuro. Las probabilidades de sacar dos veces seis parecen exactamente las mismas que en cualquier otro momento, esto es que sólo están sometidas a la influencia de todos los otros tiros que pueden producirse en el juego de dados. Esta reflexión parece tan obvia que las tentativas de contradecirla son casi siempre recibidas con una sonrisa despectiva antes que con atención respetuosa. No es mi pretensión exponer aquí, dentro de los límites de este trabajo, el grueso error que encierra esa actitud; para los que entienden de filosofía, no es necesaria ninguna explicación. Es suficiente con decir que forma parte de una serie infinita de engaños que nacen en la senda de la razón, a causa de su inclinación a buscar la verdad en el detalle.

La carta robada
(1944)

Nil sapientiae odiosius acumine nimio.

Seneca

Me encontraba yo en París en el otoño de 18... Una noche, después de una tarde ventosa y oscura, me encontraba disfrutando del doble placer de la meditación y de una pipa de espuma de mar, en compañía de mi amigo C. Auguste Dupin, en su pequeña biblioteca o estudio del n.º 33, rue Dunot, au troisième, Faubourg Saint-Germain. Por lo menos desde hacía una hora nos encontrábamos en profundo silencio; cualquier observador nos habría creído intencional y exclusivamente ocupados en mirar las volutas de humo que llenaban el ambiente. Pero yo me hallaba debatiendo mentalmente ciertas cuestiones que habían sido tema de conversación entre nosotros hacía algunas horas; me refiero al asunto de la calle Morgue y al misterioso asesinato de Marie Rogét.

No pude evitar pensar pues, en la coincidencia, cuando vi abrirse la puerta para que entrara nuestro viejo conocido G..., el prefecto de la policía de París.

Lo recibimos amablemente, porque en aquel sujeto había tanto de despreciable como de divertido, y llevábamos varios años sin verlo. Estábamos a oscuras cuando entró, y Dupin se incorporó para encender una lámpara, pero volvió a sentarse sin haberlo hecho, porque G... dijo que se encontraba allí para consultarnos, o mejor dicho, pedir la opinión de un amigo, sobre un asunto oficial que había producido un extraordinario revuelo.

—Si se trata de algo que requiere reflexión —observó Dupin, evitando dar fuego a la mecha— será mejor analizarlo a oscuras.

—He aquí una de sus curiosas ideas —dijo el prefecto, para quien todo lo que excedía su comprensión era "curioso", por lo cual vivía rodeado de una verdadera multitud de "curiosidades".

—Eso es muy cierto —respondió Dupin, acercándole a su visitante una pipa, y haciendo rodar hacia él un cómodo sillón.

—¿Y cuál es el problema ahora? —pregunté— Espero que no sea otro asesinato.

—¡Oh! no, nada de eso. El problema es muy simple, de verdad, y no me cabe la menor duda de que podremos manejarlo lo suficientemente bien nosotros solos; pero supuse que a Dupin disfrutaría conociendo todos los detalles del hecho, pues es un caso verdaderamente singular...

—Simple y singular —dijo Dupin.

—Exactamente. Pero tampoco es totalmente eso. A decir verdad, estamos todos bastante confundidos, pues el asunto es sencillísimo y, pese a todo, nos deja perplejos.

–Quizá lo que los induce a error sea precisamente la sencillez del problema –observó mi amigo.

–¡Qué cosas más absurdas dice usted! –contestó el prefecto, riendo a carcajadas.

–Tal vez el misterio sea *demasiado* sencillo –dijo Dupin.

–¡Oh, Dios mío! ¿Cómo se le puede ocurrir semejante idea?

–Un poco *demasiado* evidente.

–¡Ja, ja! ¡Oh, oh! –reía nuestro visitante, profundamente divertido– ¡Oh, Dupin, usted me va a hacer morir de la risa.

–¿Y cuál es, entonces, el asunto de que se trata? –pregunté.

–Se lo diré –replicó el prefecto, profiriendo una larga, fuerte y reposada bocanada de humo y acomodándose en su sillón– Se lo diré en pocas palabras; pero antes de empezar, debo decirle que este es un asunto que demanda la mayor reserva, y que perdería inmediatamente mi puesto si se supiera que se lo he contado a alguien.

–Hable, usted –dije.

–O no hable –agregó Dupin.

–Lo haré. Fui informado personalmente, por alguien que ocupa un cargo muy alto, de que cierto documento muy importante ha sido robado de las cámaras reales. Se sabe quién es la persona que lo robó, porque fue vista cuando lo hacía. También se sabe que el documento aún está en su poder.

–¿Cómo se sabe esto? –inquirió Dupin.

–Se ha deducido rápidamente –contestó el prefecto–, por la naturaleza del documento y por la no aparición de ciertos resultados que habrían tenido lugar de repente si el mismo pasara a otras manos; es decir, por el uso que se haría de él si el ladrón lo hubiese ya empleado.

–Sea usted un poco más explícito –dije.

–Pues bien, puedo afirmar que dicho documento da a quien lo posea cierto poder en cierto lugar donde dicho poder es inmensamente valioso.

El prefecto estaba encantado con su jerga diplomática.

—Pues sigo sin entender nada —dijo Dupin.

—¿No? Veamos: la presentación del documento a una tercera persona, que no nombraremos, pondría sobre en tela de juicio el honor de un personaje de las más altas esferas, y esto le da al poseedor del documento un dominio sobre el ilustre personaje, cuya honra y tranquilidad se ven, así, amenazadas.

—Pero este dominio —repuse— depende de que el ladrón sepa que dicho personaje célebre lo conoce. ¿Quién se atrevería...?

—El ladrón —dijo G...— es el ministro D..., quien se atreve a todo, a lo digno y a lo indigno. El método del robo fue tan ingenioso como audaz. El documento del que hablamos, una carta, para ser franco, había sido recibido por el personaje que sufrió el robo, mientras estaba solo en el *boudoir* real. En el momento en que se encontraba leyendo, fue sorpresivamente interrumpido por la entrada de otro encumbrado personaje, a quien deseaba especialmente ocultarla. Después de un torpe e inútil intento de esconderla en una gaveta, se vio forzado a dejarla, abierta como estaba, sobre una mesa. El sobrescrito quedaba a la vista, pero el contenido quedó hacia abajo y por ende no había riesgos de que fuese leída. En este momento entró el ministro D.... Su vista de lince percibe de inmediato el papel, reconoce la letra del sobrescrito, interpreta la confusión del personaje mencionado y adivina su secreto. Después de tratar algunos asuntos tan rápidamente como acostumbra, saca una carta parecida a la anterior, la abre, finge leerla y la ubica más tarde precisamente al lado de la otra. Se pone a conversar nuevamente, durante unos quince minutos, sobre cuestiones públicas. Y, finalmente, levantándose para retirarse, toma de la mesa la carta que no le pertenece. Su dueño legítimo lo ve, pero, comprensiblemente, no se anima a llamar la atención sobre el hecho, dada la presencia del tercer personaje.

El ministro, por último, se retiró, dejando sobre la mesa su carta, que no tenía, claro está, ninguna importancia.

–Aquí está, pues –me dijo Dupin–, ahí tiene usted lo que se necesitaba para que el ladrón tuviese un completo control sobre la situación: él sabe que la víctima de su robo lo reconoce como el ladrón.

–Así es –dijo el prefecto–, y el control que obtuvo lo ha estado utilizando, en estos últimos meses, con fines políticos, hasta extremos verdaderamente peligrosos. Su víctima cada vez está más segura de que la única salida a esto es recuperar esa carta. Sin embargo, por supuesto, semejante acto no puede realizarse sin tomar recaudos. Finalmente, hundida en la desesperación, esta persona me ha asignado esa tarea.

–¿Y quién puede desear –dijo Dupin, arrojando una espesa bocanada de humo–, un agente más astuto que usted?

–Usted me adula –replicó el prefecto– pero es posible que algunas opiniones como esa puedan haber sido vertidas sobre mí.

–Resulta evidente –dije–, como lo señaló usted, que el ministro aún posee la carta, dado que es poseerla y no usarla lo que le da a la carta todo su poder. Con el uso, sus facultades desaparecen.

–Eso es cierto –coincidió G...–. Todas mis averiguaciones parten de ese supuesto. Lo primero que hice fue revisar meticulosamente la mansión del ministro, aunque el mayor inconveniente consistía en evitar que se enterara. He sido alertado sobre que el mayor peligro, en este caso, radica en que sospeche de nosotros.

–Pero usted posee todas las facultades para realizar ese tipo de indagaciones –dije–. No sería la primera oportunidad en que la policía de París las realiza.

–Lo sé; y por ese motivo no desespero. Además, las costumbres del ministro me otorgan una buena ventaja. Frecuentemente se ausenta de su casa durante toda la noche. Tiene pocos sirvientes y todos duermen a lejos de los cuartos que ocupa su amo. Además, siendo principalmente napolitanos fácilmente se los puede inducir a beber sin medida. Ustedes saben muy bien que poseo llaves capaces de abrir cualquier habitación de París. En estos últimos tres meses no ha pasado una sola noche sin que me haya ocupado, personalmente en revisar la mansión de D... Está en juego mi honor profesional y, confiándoles un gran secreto, me han prometido una enorme recompensa. Por esa causa no abandonaré la búsqueda hasta no estar completamente convencido de que el ladrón es más sagaz que yo. Estoy seguro de haber revisado todos los posibles rincones de la casa en los que la carta podría haber sido escondida.

—¿No cabe la posibilidad —pregunté— de que la carta esté en posesión del ministro, como parece incuestionable, pero él la haya escondido en un lugar que no sea su casa?

—No es muy probable —dijo Dupin—. La actual y singular condición en la que se encuentra la corte, y sobre todo las intrigas en las que, es sabido, D... está envuelto, le exigen tener el documento al alcance de la mano, para exhibirlo ante cualquier inconveniente; este punto es tan importante para él como la posesión misma de la carta.

—¿La posibilidad de exhibirla? —dije.

—Y también la de *destruirla* —agregó Dupin.

—Es cierto —coincidí—; el papel tiene que estar necesariamente al alcance de la mano. Asumo que podemos descartar la posibilidad de que el ministro la lleve consigo.

—Así es —dijo el prefecto—. Dos veces ordené detenerlo por falsos ladrones y yo mismo pude ver cómo lo revisaban.

—Pudo usted ahorrarse esa molestia —dijo Dupin—. Imaginó que D... no está totalmente loco, por lo que habrá interpretado la verdadera naturaleza de esos falsos asaltos.

–No está *totalmente* loco –dijo G...–, pero es un poeta, por lo que, desde mi perspectiva, está a un paso de estarlo.

–Es verdad –dijo Dupin, mientras exhalaba una honda bocanada de su pipa de espuma de mar–, pese a que reconozco haber compuesto algunas malas rimas.

–¿Por qué no nos da detalles de esos allanamientos? –pregunté.

–Pues bien, como no teníamos mayores apuros, revisamos en todas partes. Tengo mucha experiencia en tareas semejantes. Revisé toda la mansión, habitación por habitación, dedicando las noches de toda una semana a cada cuarto. Primero examiné el mobiliario. Todos y cada uno de los cajones, y sabe usted que para un policía experimentado no existen los cajones *secretos*. En una investigación de este tipo, el hombre que deja sin revisar un cajón secreto puede considerarse un estúpido. ¡Resultan tan obvios! En todo mueble hay un espacio, una determinada forma que debe ser explicada. Tenemos reglas para ello, y no se nos escapa ni la quincuagésima parte de una línea.

"Habiendo finalizado con los armarios continuamos con las sillas. Atravesamos los almohadones con esas agujas largas y delgadas que ustedes me han visto emplear. Quitamos las tablas superiores de las mesas.

–¿Para qué?

–Muchas veces, la persona que desea esconder algo levanta la tapa de la mesa, realiza un orificio en una de sus patas y la vuelve a colocar. También se usan de esta manera las patas de las camas.

–¿Y no podrían ubicarse mediante el sonido esos huecos?

–No, cuando el objeto se coloca allí, se lo rodea de algodón. Por otra parte, en esta oportunidad debíamos obrar en total silencio.

–Pero no es posible que ustedes hayan revisado todo el lugar y desarmado todos los muebles en los que la carta pudo ser escondida así. Una carta puede ser reducida a un rollo finísimo, apenas más grande que una aguja de tejer, y puesta de esa manera se la puede insertar, por ejemplo, en el travesaño de una silla. ¿Asumo que no desarmaron todas las sillas?

—Claro que no, pero hicimos algo aun mejor: revisamos los travesaños de todas las sillas de la casa y las juntas de todos los muebles con un poderoso microscopio. Hubiésemos notado en seguida si hubiese habido alguna huella de cambio reciente. Un solo grano del aserrín producido por el barreno en la madera, hubiese sido tan evidente como una manzana. Cualquier alteración en las encoladuras, cualquier desusado agujerito en las uniones, nos hubiese bastado para descubrir algo.

—Supongo que mirarían ustedes los espejos, entre los bordes y las láminas, y examinarían las camas, las sábanas y mantas, así como las cortinas y las alfombras.

—Por supuesto, y después de revisar todo el mobiliario de esa manera minuciosa, lo hicimos en la casa misma. Dividimos su superficie en compartimentos que numeramos, para no dejar ninguno sin analizar; luego revisamos cada pulgada cuadrada, incluyendo las dos casas vecinas, siempre asistidos por el microscopio.

—¿Las dos casas vecinas? —intervine—. ¡Eso habrá supuesto todo tipo de dificultades!

—Sí. Pero la recompensa en juego lo merece.

—¿También buscaron en el terreno contiguo a las casas?

—Todos los terrenos tienen el piso de ladrillo, en comparación, nos dieron poco trabajo. Examinamos el musgo de las juntas de los ladrillos, y no parecía haber sido tocado.

—¿Buscaron ustedes entre los papeles de D..., y entre los libros de su biblioteca?

—Claro; abrimos todas las cajas y archivos; y no sólo abrimos cada libro, sino pasamos, una por una, todas las páginas de todos los volúmenes, sin conformarnos con sacudirlos simplemente, como suele ser costumbre de algunos policías. Medimos también el espesor de cada tapa de libro, con la más cuidadosa exactitud, y aplicamos a cada uno el más meticuloso examen con el microscopio. Si alguna de las encuadernaciones hubiera sido modificada para ocultar la carta, el hecho hubiera saltado a nuestra vista inocultablemente.

Había unos cinco o seis libros que recientemente habían sido devueltos por el encuadernador, los examinamos con suma atención y los atravesamos longitudinalmente con las agujas.

–¿Registraron el piso, bajo las alfombras?

–Así es. Quitamos todas las alfombras. Y analizamos los bordes con el microscopio.

–¿Y el papel tapiz de las paredes?

–También.

–¿Buscaron en los sótanos?

–Sí.

–Entonces –dije– han calculado mal, y el ministro no tiene la carta, como creían.

–Me temo que usted está en lo cierto –contestó el prefecto–. Dupin, ¿qué me aconseja que haga ahora?

–Revise de nuevo la casa del ministro.

–Eso es absolutamente innecesario –replicó G...–; la carta no está en la casa, y estoy tan seguro de eso como de que respiro.

–Pues no tengo mejor consejo que ese–dijo Dupin– ¿Tendrá usted, claro, una cuidadosa descripción de la carta?

–¡Por supuesto!

El prefecto extrajo una libreta y comenzó a leernos una pormenorizada descripción del interior y del exterior de la carta. Una vez que terminó, se despidió de nosotros, tan desanimado como nunca lo había visto.

Un mes después volvió a visitarnos y nos encontró casi igual de ocupados que la primera vez. Tomó su pipa y un

sillón y comenzó a hablar de trivialidades. Después de u
ocupados casi en la misma forma que la primera vez. Tomó
posesión de una pipa y un sillón y se puso a charlar de cosas
triviales. Al cabo de un rato le dije:

–Y bien, señor G... ¿qué pasó con la carta robada?
Supongo que se habrá usted convencido, por fin, de que no
hay tarea más engorrosa que la de sorprender al ministro.

–¡Que el diablo se lo lleve! Es verdad; De todas maneras
volví a revisar todo, como me recomendó Dupin. Pero, tal
como suponía, fue perder el tiempo.

–¿Cuánto era, lo que le habían ofrecido de recompensa?
–inquirió Dupin.

–Pues... mucho dinero... muchísimo. No quiero decir
exactamente de cuánto se trata, pero me atrevo a afirmar
que firmaría un cheque por cincuenta mil francos a cualquiera que me consiguiese esa carta. El tema fue volvién-
dose día a día más acuciante, y han doblado la recompensa. Pero, aunque ofrecieran tres veces esa suma, no podría
hacer más de lo que he hecho.

–Veamos –dijo Dupin lentamente, mientras fumaba–;
sinceramente pienso, G..., que usted no ha hecho todo lo
que estaba a su alcance. ¿No le parece que podría hacer un
poco más?

–¿Cómo? ¿De qué manera?

–Pues creo que... puff.... que usted podría... puff...
pedir consejo sobre este asunto... puff... ¿Recuerda usted
lo que dicen de Abernethy?

–No, ¡al diablo con Abernethy!

–Bueno ¡al diablo, pero bienvenido! Había una vez cierto
avaro que tuvo la idea de obtener gratis el consejo médico
de Abernethy. Aprovechó una reunión y una conversación
comunes para explicar su caso, como si se fuera el de alguien
más. "Supongamos que los síntomas del enfermo son estos
y aquellos –dijo–. Usted, doctor: ¿qué le aconsejaría que

haga?". "Lo que yo le aconsejaría –contestó Abernethy– es que fuera a un médico".

–Pero –contestó el prefecto, algo confundido–, estoy dispuesto a pedir consejo, y también a pagarlo. Realmente daría cincuenta mil francos a la persona que me ayudara en este asunto.

–Entonces –dijo Dupin, mientras abría un cajón y sacaba una libreta de cheques–, hágame usted un cheque por la cantidad mencionada. Una vez que lo haya firmado, le entregaré la carta.

Quedé estupefacto. El prefecto, por su parte, parecía fulminado. Pasaron algunos minutos sin que pudiera hablar o moverse, mientras miraba a mi amigo con ojos que parecían salírsele de las órbitas y la boca abierta. Se recuperó un poco, tomó una pluma y después de varias pausas y absortas meditaciones, llenó y firmó un cheque por cincuenta mil francos, que le acercó a Dupin. Éste lo analizó detenidamente y lo guardó en su cartera; después abrió un escritorio, sacó la carta y se la entregó al prefecto que se abalanzó sobre ella en una auténtica convulsión de alegría, la abrió mientras le temblaban las manos, dio una rápida mirada a su contenido, y después, agitado y enajenado, abrió la puerta y sin ningún tipo de ceremonia salió de la habitación y de la casa, sin haber dicho siquiera una palabra desde que Dupin le pidió el cheque.

Cuando nos quedarnos solos, mi amigo tuvo a bien darme algunas explicaciones.

–La policía parisina es muy hábil en algunas cuestiones –dijo–. Es perseverante, ingeniosa, astuta y muy informada de lo que exigen sus deberes. Por eso, cuando G... nos explicó cómo habían registrado la mansión de D..., tuve la seguridad de que habían realizado una investigación satisfactoria, hasta donde llegan sus saberes.

–¿Hasta donde llegan sus saberes? –repetí.

—Sí —dijo Dupin—. La metodología empleada era, no sólo la más conveniente de su tipo, sino que se acercaba a la perfección absoluta. Si la carta hubiera estado oculta en el radio de esa investigación, los agentes de policía, sin lugar a dudas, la hubieran encontrado.

La única respuesta que esbocé fue una sonrisa, pero mi amigo parecía hablar perfectamente en serio.

—Las medidas que se tomaron, pues —continuó él—, eran buenas y habían sido bien ejecutadas; su única falla estaba en que no eran aplicables ni al caso ni al hombre. Una cierta cantidad de recursos ciertamente ingeniosos son, para el prefecto, una suerte de lecho de Procusto[1], en el que quiere meter, forzosamente de ser necesario, sus designios. De continuo se equivoca por ser demasiado profundo o demasiado superficial para el caso, y más de un estudiante razonaría mejor que él. Conocí a uno de sólo ocho años que llamaba la atención con sus triunfos jugando el juego de "par e impar". El juego es en verdad muy simple. Uno de los participantes guarda en la mano una cierta cantidad de bolitas e interroga al otro: "¿Par o impar?". Si este adivina, gana una bolita; si no, pierde una. El niño al que me refiero ganaba todas las bolitas de la escuela, porque tenía un método para acertar. Éste se basaba en la simple observación y en el cálculo de la inteligencia de sus contrincantes. Por ejemplo, un muchacho tonto es su contrincante, que levanta su mano cerrada, y pregunta: "Par o impar?". Nuestro niño contesta "impar" y pierde. En la segunda oportunidad, sin embargo, gana, porque entonces se dijo a sí mismo: "El tonto tenía pares antes, y su inteligencia no va más allá de presentar impares para la segunda vez. Por eso, diré impar". Así lo hace, y gana. Supongamos ahora que le toca jugar con un

---

1 Expresión derivada de la mitología griega que se utiliza para señalar a aquellos que pretenden modificar la realidad para que quepa en un modelo ideal, o concuerde con sus propios intereses.

tonto ligeramente superior al anterior, nuestro joven hace este razonamiento: "Este niño sabe que la primera vez elegí impar, y en la segunda su primer impulso será pasar de par a impar; pero entonces un nuevo impulso le sugerirá que la variación es demasiado obvia, por lo que, finalmente, optará por poner pares, como antes. Por eso, apostaré a par"; así lo hace, y gana. Ahora bien, este sistema de razonamiento en el niño de escuela, a quien sus compañeros llamaban afortunado, ¿qué es, en última instancia?

–Es simplemente –opiné– la identificación del intelecto del razonador con el de su adversario.

–Así es –dijo Dupin–. Después le pregunté al niño cómo realizaba esa completa identificación en que residía su éxito, me contestó lo siguiente: "Cuando quiero averiguar si alguien es inteligente, o estúpido, o bueno, o malo, y saber cuáles son sus pensamientos en ese momento, copio lo más posible la expresión de mi cara de la suya, y luego espero hasta ver qué ideas o sentimientos vienen a mi mente o a mi corazón, que coincidan con la expresión de mi cara". Esta respuesta del estudiante es el fundamento de toda la falsa profundidad atribuida a La Rochefoucauld, La Bruyère, Maquiavelo y Campanella.

–Y la identificación –agregué– del intelecto del razonador con el de su adversario, depende, si entiendo bien, de la exactitud con que se mide la inteligencia de este último.

–Para su función práctica depende de eso –contestó Dupin–; y el prefecto y todo su séquito fracasan tan frecuentemente, primero, porque no logran esa identificación, y, segundo, por mala apreciación o, mejor dicho, por no medir la inteligencia a la que se enfrentan. Únicamente creen astutas sus propias ideas; y cuando buscan cualquier cosa oculta, sólo consideran los medios con que ellos la habrían escondido. Algo de razón tienen, puesto que su propio ingenio es un buen exponente del de *la masa;* pero, cuando la inteligencia del delincuente es distinta de la suya, este los derrota, lógicamente. Esto sucede siempre cuando se trata de una sagacidad superior a la suya y, habitualmente también, cuando está por debajo. Los policías son incapaces de variar los parámetros de sus investigaciones; como mucho, si algún caso insólito los importuna, o se ven motivados por una recompensa fenomenal, agrandan o exageran sus viejas metodologías habituales, pero siempre sin tocar los principios de las mismas. Buen ejemplo, es el caso de D... ¿qué se ha hecho para modificar el principio de acción? ¿Qué es todo este taladrar, probar, hacer sonar y registrar con el microscopio, y dividir la superficie del edificio en cuidadosas pulgadas cuadradas y numeradas? ¿Qué significan sino *la exageración* del principio o el grupo de principios por los que se rige una búsqueda, basado, por su parte un grupo de preconceptos sobre la inteligencia humana, a los que se ha acostumbrado el prefecto en la prolongada rutina de su tarea? ¿No notó usted que G... asume que todo aquel que quiere ocultar una carta lo hace, si no exactamente en un agujero hecho con barrena en la pata de una silla, por lo menos en algún oculto agujero o rincón sugerido por el mismo grado de astucia que piensa en ocultar algo en un agujero hecho en la pata de una silla? Note, igualmente, que semejantes recovecos intrincados rebuscados sólo son utilizados en ocasiones ordinarias, por inteligencias igualmente ordinarias; es decir que en todos los casos de ocultamiento es posible sospechar, en primer término, que se lo ha realizado siguiendo estos lineamientos; por lo tanto, su descubrimiento no depende en absoluto de la sagacidad de la investigación, sino del cuidado, la paciencia y la terquedad de los buscadores; y si el caso es importante (o la recompensa fenomenal, lo que es lo mismo a los ojos de los policías), dichas cualidades no fracasan *nunca*. Comprenderá usted ahora, sin lugar a dudas, lo que quise decir, sugiriendo que, si la carta hubiera sido ocultada en cualquier parte dentro de los límites del análisis del prefecto, o en otras palabras, si el principio que motivó su ocultamiento hubiera estado incluido dentro de los principios del prefecto, su descubrimiento habría sido un algo por completo inevitable. Pero nuestro funcionario ha sido engañado por completo, y la remota fuente de su engaño radica en su creencia de que el ministro es un loco porque ha logrado cierta fama como poeta. Todos los locos son poetas, asume el prefecto, y puede declarársele culpable de un *non distributio medii*[2] cuando infiere de eso que todos los poetas son locos.

—¿Pero se trata verdaderamente del poeta? —pregunté—. Sé que son dos hermanos y que ambos han logrado alguna fama en las letras. El ministro, creo, ha escrito doctamente sobre cálculo diferencial. Es un matemático y no un poeta.

—Está usted equivocado; yo lo conozco bien, es ambas cosas. Como poeta y matemático es capaz de razonar bien; como simple matemático no lo hubiese hecho de esa manera, y hubiera quedado a merced del prefecto.

—Semejantes dichos me sorprenden —dije—, sobre todo porque la opinión generalizada se opondría a ellos abiertamente. Supongo que no pretende usted acabar con creencias que tienen siglos de existencia. La razón matemática fue considerada siempre como la razón por excelencia.

—*Il y a à parier* —contestó Dupin, citando a Chamfort— *que toute idée publique, toute convention reçue est une sottise, car elle a convenu au plus grand nombre*[3]. Le aseguro que los matemáticos han sido los primeros en difundir la común equivocación a la que usted hace referencia, y que no por difundida deja de ser errónea. Con un arte digno

---

2   En Lógica, una variedad de falacia.
3   "Se puede apostar que toda idea pública, toda convención recibida, es una tontería, pues ha convenido al más grande número de personas".

de mejor causa han introducido, por ejemplo, el término "análisis" en las operaciones algebraicas. Este engaño se ha producido a causa de los franceses, pero si un término tiene alguna importancia, si las palabras derivan de su valor de aplicación, en ese caso acepto que "análisis" significa "álgebra", de la misma manera en que en latín *ambitus* significa "ambición", *religio*, "religión" y *homines honesti* la clase a la que pertenecen los hombres honorables.

–Temo que se pelee usted –dije– con alguno de los algebristas de París; pero continúe.

–Niego la validez y, por ende, el valor de toda razón que sea cultivada de otra forma que no sea la abstractamente lógica. Niego, particularmente, la razón extraída del estudio de las matemáticas. Las matemáticas son la ciencia de la forma y la cantidad; el razonamiento matemático es simplemente la lógica aplicada a la observación de la forma y la cantidad. La gran equivocación reside en suponer que incluso las verdades de lo que es llamado álgebra pura son verdades abstractas o generales. Se trata este de un error tan generalizado, que me sorprende la aceptación que ha encontrado. Los axiomas matemáticos *no son* axiomas de validez general. Todo lo que hay de cierto en la *relación* (de la forma y la cantidad) resulta muy habitualmente equivocado cuando se aplica, por ejemplo, a la moral. No suele ser cierto, en esta última ciencia, que el todo sea igual a la suma de las partes. Este axioma tampoco se aplica en química. En la consideración de la fuerza motriz falla también, dado que la suma efectiva de dos motores de un valor dado no alcanza necesariamente una potencia igual a la suma de sus potencias consideradas por separado. Son muchas las verdades matemáticas que sólo son tales dentro de los límites de la *relación*. Pero el matemático, llevado por el hábito, arguye, utilizando sus *verdades finitas,* como si tuvieran una aplicación general, cosa que, por otra parte, la gente acepta y cree. En su erudita *Mitología*, Bryant señala a una idéntica fuente de equivocaciones cuando dice que, "aunque no se cree en las fábulas paganas, solemos olvidarnos de ello y sacamos conclusiones como si fueran realidades existente". Pese a esto, entre los algebristas, que son realmente paganos, esas "fábulas paganas" son creídas, y las inferencias se hacen, no tanto por culpa de la memoria, sino por una perturbación mental incomprensible. En definitiva, no he encontrado nunca un solo matemático en quien se pudiera confiar, más allá de sus raíces y ecuaciones o que no creyese, cual dogma de fe que $x^2 + px$ resulta siempre e invariablemente igual a q. A manera de experimento, coméntele a uno de esos señores que, desde su punto de vista, podría darse el caso en el que $x^2 + px$ no fuera exactamente q; pero, una vez que haya logrado que dicho señor entienda lo que usted quiere decir, sálgase de su camino lo más rápido que pueda, porque procurará golpearlo, de seguro.

"Lo que quiero decir –siguió diciendo Dupin, mientras me reía yo de su último comentario– es que si el ministro hubiera sido únicamente un matemático, el prefecto no hubiese tenido que darme este cheque. Sabía yo, no obstante, que era matemático y poeta y obré de acuerdo a su capacidad, en relación a las circunstancias de las que estaba rodeado. Sabía que es un cortesano y, además, un audaz *intrigant*. Un hombre así, pensé, debe conocer los métodos más habituales de la investigación policial. Resulta imposible que no previera (los hechos lo han demostrado) los falsos atracos a que lo sometieron. Pensé que de la misma manera habría anticipado los allanamientos silenciosos en su casa. Sus habituales salidas nocturnas, que el prefecto creía una excelente oportunidad para su causa, me parecieron simples *astucias* que tenían el propósito de ayudar a esas búsquedas y convencer a la policía lo antes posible de que la carta no estaba en la casa, exactamente lo que G... terminó creyendo. También entendí que todo el conjunto de ideas, que me sería difícil ahora detallar, relativo a las inamovibles metodologías policiales en materia de búsqueda de objetos ocultos, necesariamente pasaría por la mente del ministro. Eso lo haría, inevitablemente, descartar todos los escondrijos habituales. No podía, reflexioné, ser tan simple que no viera que los más intrincados y más remotos rincones de su morada serían menos seguros que el más vulgar de los armarios a los ojos, las sondas, los barrenos y los microscopios del prefecto. Observé, finalmente, que D... optaría necesariamente por la *simplicidad*. Tal vez recuerde usted la estertórea risa que brotó del prefecto cuando, en su primera visita, sugerí que acaso el misterio lo trastornaba por ser tan *evidente*.

—Lo recuerdo perfectamente —dije—. Por un momento creí realmente que sufriría convulsiones.

—El mundo material —siguió diciendo Dupin— está plagado de analogías respecto del espiritual; y así se ha dado cierta verdad al dogma retórico de que la metáfora o el símil pueda ser empleada tanto para dar más fuerza a un argumento como para embellecer una descripción. El principio de la *vis inertiæ*, por ejemplo, parece idéntico en física y metafísica. Si en la primera es cierto que resulta más difícil poner en movimiento un cuerpo grande que uno pequeño, y que el impulso o cantidad de movimiento subsecuente se hallará en relación con la dificultad, es igualmente cierto en metafísica que los intelectos de máxima capacidad, aunque más pujantes, decididos y eficientes en sus avances que los de grado inferior, demoran más en iniciar dicho avance y se muestran más embarazados y vacilantes en los primeros pasos de sus progresos. Por otra parte: ¿ha observado usted, entre las muestras de tiendas, cuáles son las que llaman más la atención?

–Nunca se me ocurrió pensarlo –dije.

–Hay un juego de adivinanzas –agregó él– que se juega con un mapa. Uno de los jugadores pide al otro que encuentre una palabra dada, el nombre de una ciudad, río, estado o imperio; una palabra, en fin, sobre la atestada y compleja superficie de un mapa. Un novato en el juego trata generalmente de confundir a su adversario, pidiéndole que busque los nombres escritos con las letras más pequeñas; el buen jugador, en cambio, preferirá elegir alguna de esas palabras que se extienden con grandes letras de un extremo a otro del mapa. Estas, igual que las muestras y carteles demasiado grandes, pasan desapercibidos gracias a ser tan evidentes; el descuido ocular resulta, en este aspecto, análogo a la falta de atención que lleva al intelecto a no tomar en cuenta cuestiones excesivas y palpablemente evidentes. En cualquier caso, este es un asunto que se halla por encima o por debajo del entendimiento del prefecto. Nunca consideró probable, o posible que el ministro hubiera dejado la carta delante de las narices del mundo entero, con el objetivo de impedir mejor que una parte de ese mundo fuera capaz de verla.

”Pero cuanto más meditaba sobre el audaz, ardiente y famoso ingenio de D...; sobre el hecho de que el documento debía estar a mano del ministro para serle útil; y sobre la decisiva evidencia, obtenida por el prefecto, de que había sido ocultado fuera de los límites de sus investigaciones habituales, más me convencía de que para ocultar la carta, el ministro debía haber recurrido a la más amplia y astuta artimaña: no tratar de esconderla en lo absoluto.

”Seguro de estas ideas, me puse un par de anteojos verdes, y una hermosa mañana fui como por casualidad a la mansión del ministro. Encontré a D... en casa, bostezando, caminando sin hacer nada y fingiendo encontrarse en el colmo del *ennui*. Se trata, probablemente, del ser vivo más activo y enérgico, pero sólo cuando nadie más lo ve.

"Para no quedarme atrás, me quejé de la debilidad de mis ojos, y lamenté tener que usar, forzosamente las gafas, que me servían de buen amparo para analizar cuidadosa y completamente la habitación, mientras, aparentemente sólo estaba atento a la conversación que mantenía con mi anfitrión.

"Puse especial atención al gran escritorio en el que D... se sentaba, y en el que parecían estar mezcladas cartas y papeles, así como también un par de instrumentos musicales y algunos libros. Pero, después de una larga y atenta revisación ocular, no vi nada que alimentara mis sospechas.

"Al final, mis ojos, se posaron sobre un mísero tarjetero de cartón con filigranas, que colgaba de una sucia cinta azul, sujeta a una pequeña perilla de bronce, encima de la repisa de la chimenea. En aquel tarjetero, que tenía tres o cuatro apartados, había seis o siete tarjetas de visita y una única carta. La misma se encontraba muy manchada y arrugada. Estaba rota casi en dos pedazos, por el medio, como si una primera intención de hacerla pedazos por su poca importancia hubiera sido interrumpida y detenida. Tenía un gran sello negro, con el monograma de D..., muy visible; el sobrescrito estaba dirigido al mismo ministro y revelaba una letra pequeña y femenina. La carta había sido tirada con descuido, podría pensarse que desdeñosamente, en uno de los compartimentos superiores del tarjetero.

"Ni bien vi esa carta, entendí que era la que estaba buscando. Claro que su apariencia era en todo distinta de la que había detallado el prefecto. Esta tenía el sello grande y negro, con el monograma de D...; la otra tenía uno pequeño y rojo, con el escudo de armas de la familia S... En esta la dirección del ministro era diminuta y delicada; en la otra, la letra del sobre, destinado a cierta figura de la realeza, era marcadamente enérgica y decidida; el tamaño era su único punto de semejanza. Pero la naturaleza radical de esas diferencias, que eran exageradas, las manchas, la sucia y rota condición del papel, que tan poco tenía que ver con los rigurosos y prolijos hábitos de D... y que tan claramente le decían al ojo indiscreto que ese documento era del todo insignificante; todo esto, junto con el visible lugar en el que estaba, a la vista de todas las visitas, todo eso, digo, no hacía más que confirmar las sospechas de cualquiera que esté con voluntad de sospechar.

"Prolongué mi visita todo lo posible y, mientras discutía animadamente con el ministro sobre una cuestión en la que siempre ha estado interesado, mantuve mi atención fija en la carta. Trataba de guardar en mi memoria los detalles de su apariencia externa y de su ubicación en el tarjetero; terminé, además, descubriendo algo que disipó las últimas dudas que podrían haberme quedado. Examinando con la vista los bordes del papel, pude notar que estaban más ajados de lo que parecía necesario. El aspecto estropeado que presenta el papel grueso que ha sido plegado en un sentido y es luego plegado en el contrario. Este hallazgo fue suficiente. Resultaba evidente que la carta había sido dada vuelta como un guante, para ponerle otro sobrescrito y un nuevo sello. Me despedí del ministro y me fui rápidamente, abandonando sobre la mesa una tabaquera de oro.

"A la mañana siguiente volví para buscar la tabaquera, y plácidamente volvimos a la conversación del día anterior. Mientras estábamos concentrados en ella, se escuchó un fuerte disparo, como de una pistola, justo bajo las ventanas del edificio, lo siguió una serie de gritos de pánico, y exclamaciones de una multitud asustada. D... se apuró hacia una de las ventanas, la abrió y miró hacia la calle. Mientras, me acerqué al tarjetero, tomé la carta, la metí en mi bolsillo y la reemplacé por una que copiaba todos sus detalles externos, que había preparado meticulosamente en casa, copiando el monograma de D... muy fácilmente, gracias a un sello de miga de pan.

"La causa de la batahola callejera fue la extrañísima conducta de un hombre armado de un fusil, que acababa de disparar el arma contra un grupo de mujeres y niños. Rápidamente se comprobó que el arma no estaba cargada y los que estaban allí dejaron al hombre en libertad, creyéndolo un loco o un borracho. Ni bien se alejó el sujeto, D... se separó de la ventana, en la que yo mismo lo acompañaba después de haber cambiado la carta. Un rato después me despedí de él. Claro que el supuesto loco había sido pagado por mí.

—Pero, ¿qué intención era la suya —pregunté— cuando reemplazó la carta por un facsímil? ¿No hubiese sido más conveniente, ante la primera oportunidad, arrebatarla abiertamente e irse con ella?

—D... —replicó Dupin— es un hombre dispuesto a todo. Por otra parte, su casa está repleta de servidores consagrados a los intereses de su amo. Si me hubiera yo atrevido a hacer lo que usted propone, jamás hubiese salido con vida de allí y el buen pueblo de París no hubiera vuelto a saber más de mí. Pero, por otra parte, tenía yo una segunda intención. Sabe usted muy bien cuáles son mis preferencias políticas. En este asunto he actuado como partidario de la dama que se encontraba comprometida. Durante dieciocho meses, el ministro la tuvo a su merced. Ahora es ella quien puede controlarlo, pues él ignora que la carta no se halla más en su poder, y procurará presionar como si aún la tuviera. Esto lo conducirá, sin lugar a dudas, a la ruina política. Su debacle será, además, tan veloz como ridícula. En este caso en particular, se puede hablar con exactitud del *facilis descensus Averno*[4]; pero en lo que respecta a ascensos, cabe recordar

---

4   Cita de *La Eneida*, de Virgilio: "descenso sin dificultad al Averno".

lo que la Catalani dice sobre el canto, que es mucho más fácil subir que bajar. En este caso no guardo ninguna simpatía o piedad por el que desciende. D... es el *monstrum horrendum*, el hombre de genio sin principios. En cualquier caso, confieso que me gustaría conocer la naturaleza de sus pensamientos cuando, desafiado por esa a la que el prefecto llama "cierta persona", se vea forzado a abrir la carta que le dejé en el tarjetero.

–¿Cómo? ¿Escribió usted algo en ella?

–¡Pues sí, no me pareció bien dejar el interior en blanco! Hubiera sido insultante. En cierta ocasión, en Viena, D... me jugó una mala pasada y yo, sin perder mi buen humor, le aseguré que no lo olvidaría. Por eso, como entendí que él iba a sentir alguna curiosidad por saber quién se ha mostrado más astuto que él, pensé que era una lástima no dejarle un indicio. Como conoce muy bien mi letra, simplemente copié en mitad de la página estas palabras:

...Un dessein si funeste,
S'il n'est digne d'Atrée, est digne de Thyeste.

Las hallará usted en el *Atrée* de Crébillon[5].

---

5 *Atreé* es una obra del poeta trágico francés Prosper Crébillon (1674- 1762). En ella se relata la cruel venganza de Atreo, rey de Argos, contra Tieste, a quien hizo comer los miembros de su propio hijo. Crébillon reflexiona que "un designio tan funesto no era digno de Atreo, sino de Tieste".

El escarabajo de oro

(1943)

> ¡Hola, hola! ¡Este caballero es un danzante loco!
> Lo ha picado la tarántula.
>
> (TODO AL REVÉS.)

Hace muchos años trabé amistad íntima con un *mister* William Legrand. Pertenecía a una antigua familia de hugonotes, y había sido rico en otro tiempo; pero una sucesión de infortunios lo habían dejado en la miseria. Para evitar la humillación que seguía a sus desastres, abandonó Nueva Orleáns, la ciudad de sus antepasados, y fijó su residencia en la isla de Sullivan, cerca de Charleston, en Carolina del Sur.

Esta isla es una de las de mayor particularidad. Está compuesta únicamente de arena de mar y tiene, un poco más o un poco menos, tres millas de largo. Su ancho no supera el cuarto de milla. Se encuentra separada del continente por una ensenada que apenas puede percibirse y fluye a través de un yermo de cañas y légamo, sitio frecuentado por patos silvestres. Como cabría suponer, la vegetación es rala, o, por lo menos, enana. No existen allí árboles de gran envergadura. Cerca de la punta occidental, donde se alza el fuerte Moultrie y algunas casillas pobres de madera, donde durante el verano se refugia las gente que huye del polvo y de las fiebres de Charleston, puede encontrarse es cierto, el palmito erizado; pero la isla entera, a excepción de ese punto occidental, y de un espacio árido y blancuzco que bordea el mar, está cubierta de una espesa maleza del mirto oloroso tan apreciado por los horticultores ingleses. Allí el arbusto alcanza con frecuencia una altura de quince o veinte pies, y forma una casi impenetrable espesura, llenando el aire con su perfume.

En el rincón más alejado de esa maleza, no lejos del extremo oriental de la isla, es decir, del más distante, Legrand se había construido con sus propias manos una pequeña cabaña que ocupaba cuando lo conocí, de un modo simplemente casual. Esto pronto terminó en amistad, pues había muchas cualidades en el recluso que atraían el interés y la estimación. Lo encontré bien educado, dueño de una singular inteligencia, aunque contagiado por la misantropía y a disposición de perversas alternativas de entusiasmo y de melancolía. Tenía consigo muchos libros, pero rara vez les echaba mano. La caza y la pesca eran sus diversiones principales, o vagar a lo largo de la playa, entre los mirtos, en busca de caracoles o de ejemplares entomológicos; la colección que había reunido hubiera podido suscitar la envidia de un Swammerdamm[1].

Por lo general iba a todas estas excursiones acompañado de un negro sirviente, llamado Júpiter, que había sido

---

1 Jan Swammerdan (1637 - 1680) fue un anatomista y zoólogo holandés que se dedicó al estudio de los insectos. Es autor de *Historia general de los animales que carecen de sangre* y el *Libro de la naturaleza o historia de los insectos*.

liberado de la esclavitud antes de los reveses de la familia, pero al que no habían podido convencer, ni con amenazas ni con promesas, de abandonar lo que él consideraba su derecho a seguir los pasos de su joven *mister* Will. No sería raro que los parientes de Legrand, creyendo que éste tenía algún trastorno en la cabeza, se ocuparan de infundir aquella obstinación en Júpiter, con intención de que se hiciera cargo de vigilar y custodiar al vagabundo.

Los inviernos en la latitud de la isla de Sullivan rara vez son duros, y constituye un real acontecimiento que sea necesario encender un fuego hacia el final del año. Sin embargo, a mediados de octubre de 18..., hubo un día de frío notable. Aquella fecha, antes de la puesta del sol, subí por el camino entre la maleza hacia la cabaña de mi amigo, a quien no había visitado hacia varias semanas, pues residía yo por aquel tiempo en Charleston, a una distancia de nueve millas de la isla, y las facilidades para ir y volver eran mucho menos grandes que hoy día. Al llegar a la cabaña llamé, como era mi costumbre, y no recibiendo respuesta, busqué la llave donde sabía que estaba escondida, abrí la puerta y entré. Un hermoso fuego llameaba en el hogar. Era una sorpresa, y, por cierto, de las agradables. Me quité el gabán, coloqué un sillón junto a los leños chisporroteantes y aguardé con paciencia el regreso de mis huéspedes.

Un rato luego de la caída de la tarde llegaron y me brindaron una muy cordial bienvenida. Júpiter, con una risa de oreja a oreja, bullía mientras preparaba unos patos silvestres para la cena. Legrand se encontraba en uno de sus ataques —¿qué otro término podría nombrar aquello?— de entusiasmo. Había hallado un bivalvo desconocido que formaba un nuevo género e, incluso más, había cazado y traído un escarabajo que creía totalmente nuevo, pero acerca del cual tenía intenciones de conocer mi opinión a la mañana siguiente.

—¿Y por qué no esta misma noche? —pregunté, frotando mis manos ante el fuego y enviando al diablo toda la especie de los escarabajos.

—¡Ah, si yo hubiera sabido que usted se hallaba aquí! —dijo Legrand—. Pero hace mucho tiempo que no lo veía. ¿Cómo iba a adivinar que usted me visitaría justo esta noche? Cuando regresaba a casa me topé con el teniente G..., del fuerte, y sin más ni más, le he dejado el escarabajo: así que le será a usted imposible verlo hasta mañana. Quédese aquí esta noche, y al amanecer enviaré a Júpiter allí abajo. ¡Es la cosa más encantadora de la creación!

—¿Qué cosa? ¿El amanecer?

—¡Qué disparate! ¡No! ¡El escarabajo! Es de un brillante color dorado, aproximadamente del tamaño de una nuez, con dos manchas de un negro azabache: una, cerca de la punta posterior, y la segunda, algo más alargada, en la otra punta. Las antenas son...

—No hay estaño[2] en él, *massa* Will, se lo aseguro —interrumpió aquí Júpiter—; el escarabajo es un escarabajo de oro macizo todo él, dentro y por todas partes, salvo las alas; no he visto nunca un escarabajo la mitad de pesado.

—Bueno; supongamos que sea así —replicó Legrand, algo más vivamente, según me pareció, de lo que exigía el caso—. ¿Es esto una razón para dejar que se quemen las aves? El color —y se volvió hacia mí— bastaría para justificar la idea de Júpiter. No habrá usted visto nunca un reflejo metálico más brillante que el que emite su caparazón, pero no podrá usted juzgarlo hasta mañana... Entre tanto, intentaré darle una idea de su forma.

Dijo esto sentándose ante una mesita sobre la cual había una pluma y tinta, pero no papel. Buscó un momento en un cajón, sin encontrarlo.

---

2 La pronunciación en inglés de la palabra *antennae* ("antena") hace que Júpiter crea que su amo habla de estaño (*tin*).

–No importa –dijo, por último–; esto bastará.

Y sacó del bolsillo de su chaleco algo que me pareció un trozo de viejo pergamino muy sucio, e hizo encima una especie de dibujo con la pluma. Mientras lo hacía, permanecí en mi sitio junto al fuego, pues tenía aún mucho frío. Cuando terminó su dibujo me lo entregó sin levantarse. Al cogerlo, se oyó un fuerte gruñido, al que siguió un ruido de rascadura en la puerta. Júpiter abrió, y un enorme terranova, perteneciente a Legrand, se precipitó dentro, y, echándose sobre mis hombros, me abrumó a caricias, pues yo le había prestado mucha atención en mis visitas anteriores. Cuando terminó de dar brincos, miré el papel, y, a decir verdad, me sentí perplejo ante el dibujo de mi amigo.

–Bueno –dije después de observarlo durante algunos minutos–; se trata de un extraño escarabajo, confieso que es algo nuevo para mí: nunca antes he visto nada parecido, excepto que sea un cráneo o una calavera, a lo cual se asemeja más que a ninguna otra cosa que haya caído bajo mi observación.

–¡Una calavera! –repitió Legrand–. ¡Oh, sí! Bueno, es el aspecto que indudablemente tiene en el papel. Las dos manchas negras parecen ojos, ¿cierto? Y la más larga de abajo podría ser una boca; además, la forma entera es ovalada.

–Es posible que sea así –repliqué–; pero temo que usted no sea un artista, Legrand. Debo esperar a ver el insecto mismo para hacerme una idea de su aspecto.

–En fin, no sé –dijo él, un poco irritado–: dibujo normalmente, o al menos debería hacerlo, porque he tenido buenos maestros y me jacto de no ser tan tonto...

–Pero entonces, mi querido compañero, usted bromea –dije–: esto es un cráneo muy pasable. Puedo incluso decir que es un cráneo excelente, conforme a las vulgares nociones que tengo acerca de tales ejemplares de la fisiología; y su escarabajo será el más extraño de los escarabajos del mundo si se parece a esto. Podríamos inventar alguna pequeña superstición muy espeluznante sobre ello. Presumo que va usted a llamar a este insecto *scaruboeus caput hominis* o algo por el estilo; en las historias naturales hay muchas denominaciones semejantes. Pero, ¿dónde están las antenas que usted refirió?

–¡Las antenas! –dijo Legrand, que parecía acalorarse inexplicablemente con el tema–. Estoy seguro de que usted debe ver las antenas. Las he hecho tan claras cual lo son en el propio insecto, y presumo que es muy suficiente.

–Bien, bien –dije–; acaso usted las haya hecho y yo aún no las puedo ver.

Y le tendí el papel sin más observaciones, sin voluntad de irritarlo. Sin embargo me dejó muy sorprendido el giro que había tomado la cuestión: me intrigaba su mal humor, y en cuanto al dibujo del insecto, no había en realidad antenas visibles, y el conjunto se parecía enteramente a la imagen ordinaria de una calavera.

Recogió el papel, con visible malhumor, y sin dudas estaba a punto de estrujarlo y de tirarlo al fuego cuando una mirada casual al dibujo pareció encadenar su atención. En un santiamén su cara enrojeció con intensidad y luego palideció. Por los siguientes minutos, siempre sentado, continuó examinando el dibujo con minuciosidad. Al cabo se levantó, tomó una vela de la mesa y fue a sentarse sobre un arca de barco, en el rincón más alejado de la estancia. Allí examinó con ansiedad el papel, dándole vueltas en todos sentidos. Sin embargo no pronunció ninguna palabra y su actitud me dejó muy asombrado; pero me pareció prudente no exacerbar su mal humor creciente con ningún comentario. Acto seguido sacó una billetera de su bolsillo, guardó el papel en ella, con sumo cuidado, y lo depositó todo dentro de un escritorio al cual le echó llave. Entonces recuperó la calma; pero su primer entusiasmo había desaparecido por completo. Incluso así, parecía mucho más abstraído que malhumorado. A medida que avanzaba la tarde se mostraba más absorto en un sueño del cual ninguna de mis ocurrencias logró despertarlo. En un principio yo había planeado pasar la noche en la cabaña, como solía hacer antes con frecuencia, pero, dado que mi huésped se encontraba en aquella actitud, juzgué más conveniente marcharme. No me insistió para que me quedara, pero antes de marcharme estrechó mi mano con más cordialidad que de costumbre.

Al mes o algo así después de esto (lapso de tiempo durante el cual no volví a ver a Legrand), recibí la visita, en Charleston, de su criado Júpiter. Yo jamás había visto al viejo y buen negro tan decaído, y temí que mi amigo hubiera sufrido algún serio infortunio.

—Bueno, Júpiter —dije—. ¿Qué novedades hay? ¿Cómo se encuentra tu amo?

—¡Vaya! A decir verdad, *massa*, no se encuentra tan bien como debiera.

—¿No tan bien? De verdad lamento oír esa noticia. ¿Qué lo aqueja?

—¡Ah, caramba! ¡Ahí está la cosa! No se queja nunca de nada; pero, así y todo, está muy malo.

—¿Muy malo, Júpiter? ¿Por qué no me lo has dicho enseguida? ¿Se encuentra en cama?

—No, no, no está en la cama. No está bien en ninguna parte, y ahí le aprieta el zapato. Tengo la cabeza trastornada con el pobre *massa* Will.

—Júpiter, quisiera comprender lo que me estás contando. Dices que tu amo está enfermo. ¿No te ha dicho qué tiene?

—Bueno, *massa*; es inútil romperse la cabeza pensando en eso. *Massa* Will dice que no tiene nada, pero entonces ¿por qué va de un lado para otro, con la cabeza baja y la espalda curvada, mirando al suelo, más blanco que una oca? Y haciendo garabatos todo el tiempo...

–¿Haciendo qué?

–Haciendo números con figuras sobre una pizarra; las figuras más raras que he visto nunca. Le digo que voy sintiendo miedo. Tengo que estar siempre con un ojo sobre él. El otro día se me escapó antes de amanecer y estuvo fuera todo el santo día. Había yo cortado un buen palo para darle una tunda de las que duelen cuando volviese a comer; pero fui tan tonto que no tuve valor, ¡se lo ve tan desgraciado!

–¿Eh? ¿Cómo? ¡Ah, claro! Al final has hecho lo correcto al no ser demasiado severo con el pobre muchacho. No hay que pegarle, Júpiter; no está bien, seguramente. Pero, ¿tienes alguna idea de lo que ha ocasionado esa enfermedad o más bien ese cambio de conducta? ¿Le ha ocurrido algo desagradable desde la última vez que lo vi?

–No, *massa*, no ha ocurrido nada desagradable desde entonces, fue antes. Sí, me temo que fue el mismo día en que usted estuvo allí.

–¡Cómo! ¿Qué quiere decir?

–Pues... quiero hablar del escarabajo, sólo eso.

–¿De qué?

–Del escarabajo... Estoy seguro de que *massa* Will ha sido picado en alguna parte de la cabeza por ese escarabajo de oro.

–¿Y qué motivos tienes, Júpiter, para hacer una suposición semejante?

–Ese bicho tiene demasiadas uñas y tiene también boca. Nunca he visto un escarabajo tan endiablado. Pica todo lo que se le acerca. *Massa* Will lo había atrapado pero en seguida lo soltó, se lo aseguro... Le digo a usted que fue entonces, sin dudas, cuando lo ha picado. No me gustan la cara ni la boca de ese escarabajo; por eso no he querido tomarlo con mis dedos; pero he buscado un trozo de papel para meterlo. Lo envolví en un trozo de papel con otro pedacito en la boca. Así lo hice.

–¿Y tú realmente crees que tu amo fue picado por el escarabajo y que esa picadura lo enfermó?

–No lo creo. Sé que es así. ¿Por qué sueña todo el tiempo con oro, sino es porque fue picado por el escarabajo? Ya he oído hablar de esos escarabajos de oro.

–Pero, ¿cómo sabes que sueña con oro?

–¿Cómo lo sé? Porque incluso en sueños habla de ello; por eso lo sé.

–Bueno, Júpiter, quizás tengas razón; pero, ¿a qué feliz circunstancia debo hoy el honor de tu visita?

–¿Qué quiere usted decir, *massa*?

–¿Me traes algún mensaje de míster Legrand?

–No, *massa*; le traigo este papel.

Y Júpiter me entregó una nota que decía lo siguiente:

"Querido amigo: ¿Por qué llevo tanto tiempo sin verlo? Ojalá usted no cometa la tontería de sentirse ofendido por aquella pequeña brusquedad mía; pero no, no es probable.

"Desde que nos encontramos siento un gran motivo de inquietud. Tengo algo que decirle, pero apenas sé cómo decírselo, o incluso no sé si se lo diré.

"Hace unos días que no me hallo del todo bien, y el pobre viejo Júpiter me aburre de un modo insoportable con sus buenas intenciones y cuidados. ¿Lo creerá usted? El otro día había preparado un garrote para castigarme por haberme escapado y pasado el día solo en las colinas del continente. Creo de veras que sólo mi mala cara me salvó de la paliza.

"No he añadido nada a mi colección desde que nos vimos.

"Si puede usted, sin querer ocasionarle muchos inconvenientes, venga con Júpiter. Venga. Deseo verlo esta noche para un asunto de importancia. Le aseguro que es de la más alta importancia. Siempre suyo,

William Legrand".

Algo en el tono de esa carta me produjo una gran inquietud. El estilo era en absoluto distinto al de Legrand. ¿Con qué podía él soñar? ¿Qué nueva chifladura dominaba su excitable mente? ¿Qué "asunto de importancia" podía él tener que resolver? Lo que relataba Júpiter no presagiaba nada bueno. Yo temía que la continua opresión del infortunio a la larga hubiese trastornado completamente la razón de mi amigo. Sin un momento de duda, me dispuse a acompañar al negro.

Al llegar al fondeadero, vi una guadaña y tres azadas, todas evidentemente nuevas, que yacían en el fondo del barco donde íbamos a navegar.

–¿Qué significa todo esto, Jup? –pregunté.

–Es una guadaña, *massa*, y unas azadas.

–Ya lo veo; pero, ¿qué hacen aquí?

–*Massa* Will me ha pedido que comprase eso para él en la ciudad, y lo he pagado muy caro; nos cuesta un dinero de mil demonios.

–Pero, en nombre de todos los misterios, ¿qué va a hacer tu "*massa* Will" con esa guadaña y esas azadas?

–No me pregunte más de lo que sé; que el diablo me lleve si lo sé yo tampoco. Pero todo eso es cosa del escarabajo.

Viendo que no era imposible lograr ninguna aclaración de Júpiter, cuya inteligencia entera parecía estar absorbida por el escarabajo, bajé al barco y desplegué la vela. Una agradable y fuerte brisa nos empujó rápidamente hasta la pequeña ensenada al norte del fuerte Moultrie, y un paseo de unas dos millas nos llevó hasta la cabaña. Serían alrededor de las tres de la tarde cuando llegamos. Legrand nos esperaba preso de viva impaciencia. Asió mi mano con nervioso *empressement*[3] que me alarmó, aumentando mis crecientes sospechas. Su cara era de una palidez espectral,

---

3 Complacencia. En francés en el original.

y sus ojos, muy hundidos, brillaban con un fulgor sobrenatural. Después de algunas preguntas sobre mi salud, quise saber, al no ocurrírseme nada mejor, si el teniente G... le había devuelto el escarabajo.

—¡Oh, sí! —replicó, poniéndose muy colorado—. Le recogí a la mañana siguiente. No me separaría por nada de ese escarabajo. ¿Sabe usted que Júpiter tiene toda la razón respecto a eso?

—¿En qué? —pregunté con un triste presentimiento en el corazón.

—En suponer que el escarabajo verdaderamente es de oro.

Dijo esto con un aire de profunda seriedad, lo cual motivó en mí una indecible desazón.

—Ese escarabajo hará mi fortuna —prosiguió él, con una sonrisa triunfal— al reintegrarme mis posesiones familiares. ¿Es de extrañar que yo lo aprecie tanto? Puesto que la Fortuna ha querido concederme esa dádiva, no tengo más que usarla adecuadamente, y llegaré hasta el oro del cual ella es indicio. ¡Júpiter, trae ese escarabajo!

—¡Cómo! ¡El escarabajo, *massa*! Prefiero no tener jaleos con el escarabajo; ya sabrá traerlo usted mismo.

En ese momento Legrand se levantó con un aire solemne e imponente, y se dirigió a retirar el insecto de un fanal dentro del cual lo había guardado. Era un hermoso escarabajo desconocido en aquel tiempo por los naturalistas, y, por supuesto, de un gran valor desde un punto de vista científico. Ostentaba dos manchas negras en un extremo del dorso, y en el otro, una más alargada. El caparazón era notablemente duro y brillante, con un aspecto de oro bruñido. Tenía un peso notable, y, bien considerada la cosa, no podía yo censurar demasiado a Júpiter por su opinión respecto a él; pero érame imposible comprender que Legrand fuese de igual opinión.

—Lo he enviado a buscar —dijo él, en un tono grandilocuente, cuando hube terminado mi examen del insecto—; le he enviado a buscar para pedirle consejo y ayuda en el cumplimiento de los designios del Destino y del escarabajo...

—Mi querido Legrand —interrumpí—, sin dudas usted no se encuentra bien, y haría mejor en tomar algunos recaudos. Vaya a acostarse y me quedaré con usted unos días, hasta que recupere su salud. Usted tiene fiebre y...

—Tómeme el pulso —dijo él.

Se lo tomé y, en rigor a la verdad, no hallé el menor síntoma de fiebre.

—Pero puede estar enfermo sin tener fiebre. Permítame tan sólo una vez que oficie de médico con usted. Y después...

—Está equivocado —interrumpió él—; estoy tan bien como puedo estarlo con la excitación de la que soy presa. Si usted de verdad me aprecia, aliviará esta excitación.

—¿Y qué debo hacer para eso?

—Muy sencillo. Júpiter y yo nos iremos a las colinas en una expedición, en el continente, y necesitamos la ayuda de alguien en quien podamos confiar. Usted es esa persona única. Ya se trate de un éxito o de un fracaso, la excitación que usted nota en mí tendrá sosiego con esa expedición.

—Tengo vivos deseos de serle de utilidad en lo que requiera —respondí—; pero, ¿usted insinúa que ese insecto infernal tiene alguna relación con su expedición a las colinas?

—La tiene.

—Entonces, Legrand, no puedo ser parte en una empresa tan absurda.

—Lo siento, de verdad lo siento mucho, pues será necesario que lo hagamos por nuestra cuenta.

—¡Hacerlo por vuestra cuenta! (¡Este hombre está loco, seguramente!) Pero veamos, ¿cuánto tiempo se propone usted estar ausente?

—Es posible que toda la noche. Partiremos en breve y en cualquiera de los casos estaremos de regreso al salir el sol.

–¿Y me promete por su honor que, cuando ese capricho haya pasado y el asunto del escarabajo (¡Dios mío!) esté arreglado a su satisfacción, regresará usted a casa y seguirá al pie de la letra mis prescripciones como si se tratara de su médico?

–Sí, prometido. Ahora, partamos. No hay tiempo que perder.

Acompañé a mi amigo sintiendo un grave peso en mi corazón. A eso de las cuatro nos pusimos en camino Legrand, Júpiter, el perro y yo. Júpiter tomó la guadaña y las azadas. Insistió en cargar con todo, más bien, creo, por miedo a dejar una de aquellas herramientas en manos de su amo que por un exceso de celo o de complacencia. Tenía un humor de perros, y estas palabras, "maldito escarabajo", fueron las únicas que se escaparon de sus labios durante el viaje. Por mi parte, estaba encargado de un par de linternas, mientras que Legrand se había contentado con el escarabajo, que llevaba atado al extremo de un trozo de cuerda; lo hacía girar de un lado para otro, con aires de nigromante, mientras marchaba. Yo observaba aquel último y supremo síntoma del trastorno mental de mi amigo y apenas podía contener las lágrimas. No obstante, pensé que era preferible acceder a su fantasía, al menos por el momento, o hasta que yo pudiese adoptar algunas medidas más enérgicas con una probabilidad de éxito. Mientras tanto, intenté en vano averiguar el objetivo de la expedición. Una vez que había logrado inducirme a que lo acompañara, parecía mal dispuesto a conversar sobre un tema de tan poca importancia, y a todas mis preguntas no les brindaba más respuesta que un "Ya veremos".

Atravesamos la ensenada en la punta de la isla a bordo de una barca, y trepando por los altos terrenos de la orilla del continente seguimos la dirección noroeste, por una región por demás salvaje y desolada, en la que no se encontramos huella de un pie humano. Legrand avanzaba decidido, deteniéndose sólo algunos segundos, aquí y allá, para consultar ciertas señales que él mismo debía de haber dejado en una ocasión anterior.

Marchamos de este modo cerca de dos horas, e iba a ponerse el sol cuando entramos en una región infinitamente más triste que todo lo que habíamos visto con anterioridad. Se trataba de una especie de meseta próxima a la cumbre de una colina casi inaccesible, cubierta de una arboleda espesa desde la base a la cima, y sembrada de enormes bloques de piedra que parecían esparcidos y mezclados sobre el suelo, y muchos de los cuales hubieran caído a los valles de más abajo si no estuvieran contenidos por los árboles en los cuales se apoyaban. Unos barrancos profundos, que se abrían en varias direcciones, le otorgaban al paisaje un aspecto de solemnidad aun más lúgubre.

La plataforma natural sobre la cual habíamos trepado estaba tan repleta de zarzas que con rapidez comprendimos que nos hubiera resultado imposible abrirnos paso de no contar con la guadaña. Júpiter, por orden de su amo, se ocupó de limpiar el camino hasta el pie de un enorme tulípero que se alzaba, entre ocho o diez robles, sobre la plataforma, y que los sobrepasaba a todos, así como a los árboles que había yo visto hasta entonces, por la belleza de su follaje y forma, por la inmensa expansión de su ramaje y por la majestad general de su aspecto. Una vez llegados a aquel árbol, Legrand se volvió hacia Júpiter y le preguntó si se creía capaz de trepar por él. El viejo pareció algo asombrado por la pregunta, y durante unos momentos no respondió. Por último, se acercó al enorme tronco, dio la vuelta a su alrededor y lo examinó con minuciosa atención. Cuando hubo terminado su examen, dijo simplemente:

—Sí, *massa*: Jup no ha hallado en su vida ningún árbol que no pueda trepar.

—Entonces, sube lo más de rápido que puedas, pues en breve la oscuridad será demasiada como para ver lo que hacemos.

—¿Hasta dónde debo subir, *massa*? —preguntó Júpiter.

—Sube por el tronco en primer lugar y luego te indicaré qué camino debes seguir... ¡Ah, detente ahora! Llévate el escarabajo.

—¡El escarabajo, *massa* Will, el escarabajo de oro! —gritó el negro, retrocediendo con terror—. ¿Por qué debo llevar ese escarabajo conmigo sobre el árbol? ¡Que me condene si lo hago!

—Si tú, Jup, tienes miedo, que eres un negro grande y fuerte, de tocar un pequeño insecto muerto e inofensivo, puedes llevarlo con esta cuerda; pero si no quieres tomarlo de ningún modo, entonces tendré que abrirte la cabeza con esta azada.

—¿Qué tiene ahora, *massa*? —dijo Jup, sin dudas avergonzado, y más complaciente—. Siempre se la agarra con su viejo negro. Era sólo una broma, nada más. ¿Yo tenerle miedo al escarabajo? ¡Pues claro que me preocupa el escarabajo!

Tomó con precaución la punta de la cuerda y, alejando al insecto de su persona tanto como lo permitían las circunstancias, se preparó para subir al árbol.

II

En su juventud, el tulípero o *Liriodendron Tutipiferum*, el más magnífico de los árboles selváticos americanos, posee un tronco liso en particular y alcanza con frecuencia una gran altura, sin el crecimiento de ramas laterales; pero cuando alcanza su madurez, la corteza adquiere rugosidad y se vuelve desigual, mientras aparecen pequeños rudimentos de ramas en gran cantidad sobre el tronco. Por eso es difícil su ascensión y, en este caso, lo era mucho más en apariencia que en la realidad. Abrazando del mejor modo posible el enorme cilindro con sus brazos y sus rodillas, aferrándose de algunos brotes y apoyando sus pies descalzos sobre los otros, Júpiter, después de haber estado a punto de caer una o dos veces, por final se izó hasta la primera gran bifurcación y pareció entonces considerar el asunto como virtualmente realizado. En efecto, el riesgo del emprendimiento ya había desaparecido, aunque el escalador se hallara a unos sesenta o setenta pies de la tierra.

—¿Hacia qué lado debo ir ahora, *massa* Will? —preguntó.

—Sigue siempre la rama más ancha, la de ese lado —dijo Legrand.

El negro obedeció rápidamente y en apariencia sin la menor inquietud; subió cada vez más alto hasta que su figura encogida desapareció entre el denso follaje que la envolvía. Entonces se dejó oír su voz lejana gritando:

—¿Debo subir mucho todavía?

—¿A qué altura estás? —preguntó Legrand.

—Estoy tan alto —replicó el negro—, que puedo ver el cielo a través de la copa del árbol.

—No te preocupes del cielo, pero atiende a lo que te digo. Mira hacia abajo el tronco y cuenta las ramas que hay debajo de ti por ese lado. ¿Cuántas ramas has pasado?

—Una, dos, tres, cuatro, cinco. He pasado cinco ramas por ese lado, *massa*.

—Entonces sube una rama más.

Al cabo de unos minutos la voz de oyó de nuevo, anunciando que había alcanzado la séptima rama.

—Ahora, Jup —gritó Legrand, con una gran agitación—, quiero que te abras camino sobre esa rama hasta donde puedas. Si ves algo extraño, me lo dices.

Desde aquel momento, las pocas dudas que podía haber tenido sobre la demencia de mi pobre amigo se disiparon por completo. No me quedaba otra alternativa que considerarle como atacado de locura, me sentí seriamente preocupado con la manera de hacerlo regresar a su casa. Mientras reflexionaba sobre qué sería preferible hacer, volvió a oírse la voz de Júpiter.

—Tengo miedo de avanzar más lejos por esa rama: es una rama muerta casi todo a lo largo.

—¿Dices que es una rama *muerta*, Júpiter? —gritó Legrand con voz trémula.

—Sí, *massa*, muerta como un clavo de puerta, eso es cosa sabida; no tiene ni pizca de vida.

—¿Qué debo hacer, en nombre del Cielo? —preguntó Legrand, que parecía sumido en una gran desesperación.

—¿Qué debe hacer? —dije, satisfecho de que aquella oportunidad me permitiese colocar una palabra—; volver a casa y meterse en la cama. ¡Vámonos ya! Sea usted amable, compañero. Se hace tarde; y además, acuérdese de su promesa.

—¡Júpiter! —gritó él, sin escucharme en absoluto—, ¿me oyes?

—Sí, *massa* Will, le oigo perfectamente.

—Entonces tantea bien con tu cuchillo, y dime si crees que está muy podrida.

—Podrida, *massa*, podrida, sin duda —replicó el negro después de unos momentos—; pero no tan podrida como cabría creer. Podría avanzar un poco más, si estuviese yo solo sobre la rama, eso es verdad.

—¡Si estuvieras tú solo! ¿Qué quieres decir?

—Hablo del escarabajo. Es muy pesado este escarabajo. Supongo que, si lo dejase caer, la rama soportaría bien, sin romperse, el peso de un negro.

—¡Maldito bribón! —gritó Legrand, que parecía muy reanimado—. ¿Qué tonterías estas diciendo? Si dejas caer el insecto, te retuerzo el pescuezo. Mira hacia aquí, Júpiter, ¿me oyes?

–Sí, *massa*. No hay que tratar así a un pobre negro.

–Está bien, escúchame ahora. Si te arriesgas sobre la rama todo lo lejos que puedas hacerlo sin peligro y sin soltar el insecto, te regalaré un dólar de plata tan pronto como hayas bajado.

–Ya voy, *massa* Will, voy hacia allá –replicó el negro con prontitud–. Estoy al final ahora.

–¡Al final! –Chilló Legrand, muy animado–. ¿Quieres decir que estas al final de esa rama?

–Estaré muy pronto al final, *massa*... ¡Ooooh! ¡Dios mío, misericordia! ¿Qué es eso que hay sobre el árbol?

–¡Bien! –Gritó Legrand muy contento–, ¿qué es eso?

–Pues sólo una calavera; alguien dejó su cabeza sobre el árbol, y los cuervos han picoteado toda la carne.

–¡Una calavera, dices! ¡Muy bien! ¿Cómo está atada a la rama? ¿Qué la sostiene?

–Seguramente, se sostiene bien; pero tendré que ver. ¡Ah! Es una cosa curiosa, palabra..., hay una clavo grueso clavado en esta calavera, que la retiene al árbol.

–Bueno; ahora, Júpiter, haz exactamente lo que voy a decirte. ¿Me oyes?

–Sí, *massa*.

–Fíjate bien, y luego busca el ojo izquierdo de la calavera.

–¡Hum! ¡Oh, esto sí que es bueno! No tiene ojo izquierdo ni por asomo.

–¡Maldita sea tu estupidez! ¿Sabes distinguir bien tu mano izquierda de tu mano derecha?

–Sí que lo sé, lo sé muy bien; mi mano izquierda es con la que parto la leña.

–Seguramente, pues eres zurdo. Y tu ojo izquierdo está del mismo lado de tu mano izquierda. Ahora supongo que podrás encontrar el ojo izquierdo de la calavera, o el sitio donde estaba ese ojo. ¿Lo has encontrado?

Hubo una larga pausa. Y finalmente, el negro preguntó:

–¿El ojo izquierdo de la calavera está del mismo lado que la mano izquierda del cráneo también?... Porque la calavera no tiene mano alguna... ¡No importa! Ahora he encontrado el ojo izquierdo, ¡aquí está el ojo izquierdo! ¿Qué debo hacer ahora?

–Deja pasar el escarabajo a través de él, tan lejos como pueda llegar la cuerda; pero ten cuidado de no soltar la punta de la cuerda.

–Ya está hecho todo, *massa* Will; era cosa fácil hacer pasar el escarabajo por el agujero... Mírelo cómo baja.

Durante este coloquio, no podía verse ni la menor parte de Júpiter; pero el insecto que él dejaba caer aparecía ahora visible al extremo de la cuerda y brillaba, como una bola de oro bruñido a los últimos rayos del sol poniente, algunos de los cuales iluminaban todavía un poco la eminencia sobre la que estábamos colocados. El escarabajo, al descender, sobresalía visiblemente de las ramas, y si el negro le hubiese soltado habría caído a nuestros pies. Legrand tomó en seguida la guadaña y despejó un espacio circular, de tres o cuatro yardas de diámetro, justo debajo del insecto. Una vez hecho esto, ordenó a Júpiter que soltase la cuerda y que bajase del árbol.

Con mucha cautela mi amigo clavó una estaca en la tierra sobre el lugar preciso donde había caído el insecto, y luego sacó de su bolsillo una cinta para medir. La ató por una punta al sitio del árbol que estaba más próximo a la estaca, la desenrolló hasta ésta y siguió desenrollándola en la dirección señalada por aquellos dos puntos –la estaca y el tronco– hasta una distancia de cincuenta pies; Júpiter limpiaba de zarzas el camino con la guadaña. En el sitio así encontrado clavó una segunda estaca, y, tomándola como centro, describió un tosco círculo de unos cuatro pies de diámetro, aproximadamente. Tomó entonces una de las azadas, dio la otra a Júpiter y la otra a mí, y nos pidió que cavásemos lo más de prisa posible.

A decir verdad, yo no había sentido nunca un especial agrado con semejante diversión, y en aquel momento preciso renunciaría a ella, pues la noche avanzaba y me sentía muy fatigado con el ejercicio que tuve que hacer; pero no veía ninguna forma de escapar de aquello, y temía perturbar la ecuanimidad de mi pobre amigo con una negativa. De haber podido contar efectivamente con la ayuda de Júpiter no hubiese yo vacilado en llevar a la fuerza al lunático a su casa; pero conocía demasiado bien el carácter del viejo negro para esperar su ayuda en cualquier circunstancia, y más en el caso de una lucha personal con su amo. No dudaba yo que Legrand estaba contaminado por alguna de las innumerables supersticiones del Sur referentes a los tesoros escondidos, y que aquella fantasía hubiera sido confirmada por el hallazgo del escarabajo, o quizá por la obstinación de Júpiter en sostener que era un "escarabajo de oro de verdad". Una mentalidad predispuesta a la locura podía dejarse arrastrar por tales sugestiones, sobre todo si concordaban con sus ideas favoritas preconcebidas; y entonces recordé el discurso del pobre muchacho referente al insecto que iba a ser "el indicio de su fortuna". Por encima de todo ello me sentía enojado y perplejo; pero al final decidí hacer ley de la necesidad y cavar con buena voluntad para convencer lo antes posible al visionario con una prueba ocular de la falacia de las opiniones que el mantenía.

Encendimos las linternas y nos entregamos a nuestra tarea con un celo digno de una causa más racional; y como la luz caía sobre nuestras personas y herramientas, no pude impedirme pensar en el grupo pintoresco que formábamos, y en que si algún intruso hubiese aparecido, por casualidad, en medio de nosotros, habría creído que realizábamos una labor muy extraña y sospechosa.

Durante dos horas cavamos con fuerza. Se oían pocas palabras, y nuestra molestia principal era causada por los ladridos del perro, que estaba en excesivo interesado en nuestro quehacer. Con el correr del tiempo se alborotó tanto que temimos diese la alarma a algunos merodeadores de las cercanías, o más bien era el gran temor de Legrand, pues, por mi parte, me habría regocijado cualquier interrupción que me hubiera permitido hacer volver al vagabundo a su casa. Por fin, Júpiter lo calló lanzándose fuera del hoyo con un aire resuelto y furioso, y embozaló el hocico del animal con uno de sus tirantes para luego retomar su tarea con una risita ahogada.

Cuando acabó el tiempo mencionado, el hoyo había alcanzado una profundidad de cinco pies y aun así no aparecía el menor indicio de tesoro. Hicimos una pausa general durante la cual empecé a tener esperanzas de que la farsa llegara a su fin. Legrand, sin embargo, aunque a todas luces parecía muy desconcertado, se secó la transpiración de la frente con aire pensativo y comenzó una vez más. Habíamos cavado el círculo entero de cuatro pies de diámetro, y ahora superamos un poco aquel límite y cavamos dos pies más. No apareció nada. El buscador de oro, por quien yo sentía una verdadera compasión, saltó del hoyo al cabo, con la más amarga desilusión grabada en su cara, y se decidió, lenta y pesadamente, a ponerse la chaqueta, que se había quitado al empezar su labor. En cuanto a mí, me guardé de hacer alguna observación. Júpiter, tras una señal de su mano, comenzó a recoger las herramientas. Hecho esto, y una vez quitado el bozal al perro, volvimos en un profundo silencio hacia la casa.

Quizás habremos dado una docena de pasos cuando, con un estruendoso insulto, Legrand se arrojó sobre Júpiter y lo agarró del cuello. El negro, atónito, abrió los ojos y la boca en toda su dimensión, soltó las azadas y cayó de rodillas.

—¡Maldito bribón! —dijo Legrand, haciendo silbar las palabras entre sus labios apretados–, ¡negro malvado! ¡Te ordeno que hables! ¡Contéstame al instante y sin mentiras! ¿Cuál es...? ¡¡Cuál es tu ojo izquierdo!?

—¡Oh, piedad, *massa* Will! ¿No es, seguramente, éste mi ojo izquierdo? —rugió, aterrorizado, Júpiter, poniendo su mano sobre el órgano derecho de su visión, y manteniéndola allí con la tenacidad de la desesperación, como si temiese que su amo fuese a arrancárselo.

—¡Lo sospechaba! ¡Lo sabía! ¡Hurra! —vociferó Legrand, soltando al negro y dando una serie de saltos y piruetas, ante el gran asombro de su criado, quien, alzándose sobre sus rodillas, miraba en silencio a su amo y a mí, a mí y a su amo.

—¡Vamos! Debemos regresar —dijo éste—. Aún no perdimos este partido— y se encaminó de nuevo hacia el tulípero.

—Júpiter —dijo, cuando llegamos al píe del árbol—, ¡ven aquí! ¿Estaba la calavera clavada a la rama con la cara vuelta hacia fuera, o hacia la rama?

—La cara estaba vuelta hacia afuera, *massa*, así es que los cuervos han podido comerse muy bien los ojos, sin la menor dificultad.

—Bueno, entonces, ¿has dejado caer el insecto por este ojo o por este otro? —y Legrand tocaba alternativamente los ojos de Júpiter.

—Por este ojo, *massa*, por el ojo izquierdo, exactamente como usted me dijo.

Y el negro volvió a señalar su ojo derecho.

Entonces mi amigo, en cuya locura veía yo, o me imaginaba ver, ciertos indicios de método, trasladó la estaca que marcaba el sitio donde había caído el insecto, unas tres pulgadas hacia el oeste de su primera posición. Colocando ahora la cinta de medir desde el punto más cercano del tronco hasta la estaca, como antes hiciera, y extendiéndola en línea recta a una distancia de cincuenta pies, donde señalaba la estaca, la alejó varias yardas del sitio donde habíamos estado cavando.

Trazó un círculo alrededor del nuevo punto, un poco más ancho que el primero, y volvimos a manejar la azada. Yo me encontraba cansado de un modo atroz; pero aunque no me daba cuenta del motivo de aquel cambio en mi pensamiento, ya no sentía gran rechazo por aquella tarea impuesta. Me interesaba de un modo inexplicable, incluso me excitaba. Tal vez en el extravagante comportamiento de Legrand había cierto aire de vaticinio, de deliberación, que me impresionaba. Cavaba con ardor, y de cuando en cuando me sorprendía buscando, por decirlo así, con los ojos movidos de un sentimiento que se parecía mucho a la espera, aquel tesoro imaginario, cuya visión había trastornado a mi infortunado compañero. En uno de esos momentos en que tales fantasías mentales se habían apoderado más a fondo de mí, y cuando llevábamos trabajando quizá una hora y media, fuimos de nuevo interrumpidos por los violentos ladridos del perro. Su inquietud, en el primer caso, era, sin duda, el resultado de un retozo o de un capricho; pero ahora asumía un tono más áspero y más serio. Cuando Júpiter se esforzaba por volver a ponerle un bozal, el animal ofreció una furiosa resistencia y, saltando dentro del hoyo, se puso a cavar, frenético, con sus uñas. En unos segundos había dejado al descubierto una masa de osamentas humanas, formando dos esqueletos íntegros, mezclados con varios botones de metal y con algo que nos pareció ser lana podrida y polvorienta. Uno o dos azadonazos hicieron saltar la hoja de un ancho cuchillo español, y al cavar más surgieron a la luz tres o cuatro monedas de oro y de plata.

Al ver aquello, Júpiter apenas pudo contener su alegría; pero la cara de su amo expresó una extraordinaria desilusión. Nos rogó, con todo, que continuásemos nuestros esfuerzos, y apenas había dicho aquellas palabras, tropecé y caí hacia adelante, al engancharse la punta de mi bota en una ancha argolla de hierro que yacía medio enterrada en la tierra blanda.

Pusimos manos a la obra, ahora con gran dedicación, y nunca he vivido diez minutos de mayor entusiasmo. Durante este intervalo desenterramos por completo un cofre oblongo de madera que, por su perfecta conservación y asombrosa dureza, había sido sometida a algún procedimiento de mineralización, acaso por obra del bicloruro de mercurio. Dicho cofre tenía tres pies y medio de largo, tres de ancho y dos y medio de profundidad. Estaba asegurado con firmeza por unos flejes de hierro forjado, remachados, y que formaban alrededor de una especie de enrejado. De cada lado del cofre, cerca de la tapa había tres argollas de hierro —eran seis en total—, por medio de las cuales podían asirla seis personas. Nuestros esfuerzos unidos sólo consiguieron moverlo ligeramente de su lecho. En seguida entendimos la imposibilidad de transportar un peso tan grande. Por fortuna, la tapa estaba sólo asegurada con dos tornillos movibles. Los sacamos, temblando y con la ansiedad palpitando en el pecho. En un instante, un tesoro de incalculable valor apareció refulgente ante nosotros. Los rayos de las linternas caían en el hoyo, haciendo brotar, de un montón confuso de oro y de joyas, destellos y brillos que enceguecían nuestros ojos por completo.

No intentaré hacer una descripción de los sentimientos con los cuales contemplaba aquello. El asombro, como es natural, predominaba sobre los demás. Legrand parecía exhausto por la excitación, y no pronunció más que algunas palabras. Mientras tanto el rostro de Júpiter adquirió, durante unos minutos, la máxima palidez que puede tomar la cara de un negro en tales circunstancias. Parecía estupefacto, fulminado. Pronto cayó de rodillas en el hoyo, hundió sus brazos en el oro hasta el codo y los dejó allí, como si estuviera gozando del placer de un baño. Luego exclamó con un hondo suspiro, como si fuera un monólogo:

–¡Y todo esto viene del escarabajo de oro! ¡Del pobre escarabajito al que yo insultaba y calumniaba! ¿No te das vergüenza a ti mismo, negro? ¡Anda, responde!

Fue necesario, por último, que despertase a ambos, al amo y al criado, ante la conveniencia de transportar el tesoro. Se hacía tarde y debíamos iniciar alguna actividad si queríamos que todo estuviese asegurado antes del amanecer. No sabíamos qué decisión tomar, y perdimos mucho tiempo en deliberaciones a causa de lo trastornadas que se encontraban nuestras ideas. Por último, redujimos de peso del cofre quitando las dos terceras partes de su contenido, y pudimos, por fin y no sin dificultad, retirarlo del hoyo. Los objetos que habíamos extraído fueron depositados entre las zarzas, bajo la custodia del perro, al que Júpiter ordenó que no se moviera de su puesto bajo ningún pretexto, y que no abriera la boca hasta nuestro regreso. Entonces nos pusimos con prisa en camino llevando el cofre; llegamos a la cabaña sin inconvenientes, aunque después de grandes esfuerzos y a la una de la madrugada. Rendidos como estábamos, no hubiese habido naturaleza humana capaz de reanudar la tarea acto seguido. Permanecimos descansando hasta las dos; luego cenamos, y en seguida partimos hacia las colinas, provistos de tres grandes sacos que, por una feliz fortuna, habíamos encontrado antes. Llegamos cerca de las cuatro a la fosa, nos repartimos el botín con la mayor equidad posible y, dejando el hoyo sin tapar, regresamos hacia la cabaña, en la que depositamos por segunda vez nuestra carga de oro, mientras los primeros tenues rayos del amanecer aparecían por encima de las copas de los árboles, desde el Este.

III

Estábamos por completo destrozados, pero la gran excitación de aquel momento nos impidió cualquier descanso. Después de un sueño agitado de tres o cuatro horas de duración, nos levantamos, como si estuviéramos de acuerdo, para hacer un análisis de nuestro tesoro.

El cofre había sido llenado hasta el tope, de modo que empleamos el día entero y gran parte de la noche siguiente en estudiar su contenido. No evidenciaba ningún orden o disposición. Todo había sido amontonado de modo confuso. Luego de clasificarlo con cuidado, nos hallamos en posesión de una fortuna que superaba cualquier suposición que hubiésemos tenido. Había más de cuatrocientos cincuenta mil dólares en monedas, estimando el valor de las piezas con tanta exactitud como fue posible a partir de tablas de cotización de la época. No encontramos una sola partícula de plata. Todo era oro de antigua data y de una gran variedad: monedas francesas, españolas y alemanas, con algunas guineas inglesas y varios discos de los que jamás habíamos visto algún ejemplar. Había muchas monedas muy grandes y pesadas, pero estaban tan desgastadas que no pudimos entender sus inscripciones. No había ninguna americana. La valoración de las joyas fue aun más dificultosa. Había diamantes, algunos de ellos muy finos y voluminosos, en total ciento diez, ninguno era pequeño; dieciocho rubíes de un brillo notable, trescientas diez esmeraldas de enorme belleza, veintiún zafiros y un ópalo. Todas aquellas piedras habían sido arrancadas de sus monturas y arrojadas en revoltijo al interior del cofre. En cuanto a las monturas mismas, que clasificamos separadas del resto del oro, parecían haber sido golpeadas a martillazos para imposibilitar cualquier identificación. Además de lo ya citado había una gran cantidad de adornos de oro macizo: cerca de doscientas sortijas y pendientes, de extraordinario grosor; ricas cadenas, en número de treinta, si no recuerdo mal; noventa y tres grandes y pesados crucifijos; cinco incensarios de oro de gran valor; una prodigiosa ponchera de oro, adornada con hojas de parra muy bien engastadas, y con figuras de bacantes; dos empuñaduras de espada exquisitamente repujadas, y otros muchos objetos más pequeños que no puedo recordar. El peso de todo ello excedía de las trescientas cincuenta libras *avoirdupois*[4], y en esta valoración no he incluido ciento noventa y siete relojes de oro soberbios, tres de los cuales valdrían cada uno quinientos dólares. Muchos eran viejísimos y desprovistos de valor como tales relojes: sus maquinarias habían sufrido más o menos de la corrosión de la tierra; pero todos estaban ricamente adornados con pedrerías, y las cajas eran de gran precio. Aquella noche valoramos el contenido total del cofre en un millón y medio de dólares, y cuando más tarde dispusimos de los dijes y joyas (quedándonos con algunos para nuestro uso personal), nos encontramos con que habíamos hecho una tasación muy por debajo del tesoro.

Una vez finalizado nuestro examen, y cuando se calmó un tanto aquella intensa excitación, Legrand, que me veía consumido de impaciencia por conocer la solución de aquel enigma extraordinario, se adentró en detalle en las circunstancias que se relacionaban con él.

—Usted recordará —dijo— la noche en que le mostré el tosco bosquejo que había hecho del escarabajo. También recordará lo mucho que me molestó que insistiese en que mi dibujo era parecido a una calavera. Cuando hizo usted por primera vez su afirmación, creí que bromeaba; pero después pensé en las manchas especiales sobre el dorso

---

4 Se trata de un sistema de pesos con base en la libra de 16 onzas, usado habitualmente en los Estados Unidos, Canadá, el Reino Unido y algunas colonias británicas.

del insecto, y reconocí en mi interior que su observación estaba asentada sobre alguna posibilidad cierta. A pesar de todo, su burla respecto a mis facultades gráficas me irritó, pues estoy considerado como un buen artista, y por ello, al tenderme usted el trozo de pergamino, estuve a punto de estrujarlo y de arrojarlo, enojado, al fuego.

–Usted se refiere al trozo de papel –dije.

–No. Aquello tenía el aspecto de papel, y yo mismo supuse en un comienzo que lo era; pero, cuando quise dibujar sobre él, en seguida descubrí que era un trozo de pergamino muy viejo. Estaba todo sucio, como recordará. Bueno; cuando me disponía a estrujarlo, mis ojos cayeron sobre el esbozo que usted había examinado, y ya puede imaginarse mi asombro al percibir realmente la figura de una calavera en el sitio mismo donde había yo creído dibujar el insecto. Durante un momento me sentí demasiado atónito para pensar con sensatez. Sabía que mi esbozo era muy diferente en detalle de éste, aunque existiese cierta semejanza en el contorno general. En seguida tomé una vela y, sentándome al otro extremo de la habitación, me dediqué a un examen minucioso del pergamino. Dándole vueltas, vi mi propio bosquejo sobre el reverso, ni más ni menos que como lo había hecho. Mi primera impresión fue de simple sorpresa ante la notable semejanza efectiva del contorno; y resulta una coincidencia singular el hecho de aquella imagen, desconocida para mí, que ocupaba el otro lado del pergamino debajo mismo de mi dibujo del escarabajo, y de la calavera aquella que se parecía con tanta exactitud a dicho dibujo no sólo en el contorno, sino en el tamaño. Digo que la singularidad de aquella coincidencia me dejó pasmado durante un momento. Es éste el efecto habitual de tales coincidencias. La mente se esfuerza por establecer una relación de causa y efecto, y como fui incapaz de conseguirlo, sufrí una especie de parálisis pasajera. Pero cuando me recobré de aquel estupor, sentí surgir en mí poco a poco una convicción que me sobrecogió más aún que aquella coincidencia. Comencé a recordar de una manera clara y positiva que no había ningún dibujo sobre el pergamino cuando hice mi esbozo del escarabajo. Tuve la absoluta certeza de ello, pues me acordé de haberle dado vueltas a un lado y a otro buscando el sitio más limpio... Si la calavera hubiera estado allí, la habría yo visto, por supuesto. Allí había un misterio que me sentía incapaz de explicar; pero desde aquel mismo momento me pareció ver brillar débilmente, en las más remotas y secretas cavidades de mi entendimiento, una especie de luciérnaga de la verdad de la cual nos había aportado la aventura de la última noche una prueba tan magnífica. Me levanté al punto, y guardando con cuidado el pergamino dejé toda reflexión ulterior para cuando pudiese estar solo. En cuanto usted se marchó y Júpiter estuvo profundamente dormido, me dediqué a un examen más metódico de la cuestión. En primer lugar, quise comprender de qué modo aquel pergamino estaba en mi poder. El sitio en que descubrimos el escarabajo se hallaba en la costa del continente, a una milla aproximada al Este de la isla, pero a corta distancia sobre el nivel de la marea alta. Cuando lo tomé, me picó con fuerza, haciendo que lo soltara. Júpiter, con su acostumbrada prudencia, antes de agarrar el insecto, que había volado hacia él, buscó a su alrededor una hoja o algo parecido con que apresarlo. En ese momento sus ojos, y también los míos, cayeron sobre el trozo de pergamino que supuse era un papel. Estaba medio sepultado en la arena, asomando una parte de él. Cerca del sitio donde lo encontramos vi los restos del casco de un gran barco, según me pareció. Aquellos restos de un naufragio debían de estar allí desde hacía mucho tiempo, pues apenas podía distinguirse su semejanza con la armazón de un barco. Entonces Júpiter recogió el pergamino, envolvió en él al insecto y me lo entregó. Poco después volvimos a casa y encontramos al teniente G.... Le enseñé el ejemplar y me rogó que le permitiese llevárselo al fuerte. Accedí a ello y se lo metió en el bolsillo de su chaleco sin el pergamino en que iba envuelto y que había conservado en la mano durante su examen. Quizá temió que cambiase de opinión y prefirió asegurar en seguida su presa; ya sabe usted que es un entusiasta de todo cuanto se relaciona con la historia natural. En aquel momento, sin darme cuenta de ello, debí de guardarme el pergamino en el bolsillo. Recordará usted que cuando me senté ante la mesa a fin de hacer un bosquejo del insecto no encontré papel donde habitualmente se guarda. Miré en el cajón, y no lo encontré allí. Rebusqué mis bolsillos, esperando hallar en ellos alguna carta antigua, cuando mis dedos tocaron el pergamino. Le detallo a usted de un modo exacto cómo cayó en mi poder, pues las circunstancias me impresionaron con una fuerza especial.

Sin duda alguna, usted me creyó un soñador; pero yo había establecido ya una especie de conexión. Acababa de unir dos eslabones de una gran cadena. Allí había un barco que naufragó en la costa, y no lejos de aquel barco, un pergamino –no un papel– con una calavera pintada sobre él. Va usted, naturalmente, a preguntarme: ¿dónde está la relación? Le responderé que la calavera es el emblema muy conocido de los piratas. Llevan izada la enseña con la calavera en todos sus combates. Como le digo, era un trozo de pergamino y no de papel. El pergamino es de una materia duradera casi indestructible. Rara vez se consignan sobre uno cuestiones de poca monta, ya que se adapta mucho peor que el papel a las simples necesidades del dibujo o de la escritura. Esta reflexión me indujo a pensar en algún significado, en algo que tenía relación con la calavera. No dejé tampoco de observar la forma del pergamino. Aunque una de las esquinas aparecía rota por algún accidente, podía verse bien que la forma original era oblonga. Se trataba precisamente de una de esas tiras que se escogen como memorándum, para apuntar algo que desea uno conservar largo tiempo y con cuidado.

—Pero —lo interrumpí— usted dice que la calavera no estaba sobre el pergamino cuando dibujó el insecto. ¿Cómo, entonces, establece una relación entre el barco y la calavera, puesto que esta última, según usted mismo dice, debe de haber sido dibujada (Dios únicamente sabe cómo y por quién) en algún período posterior a su apunte del escarabajo?

—¡Ah! Alrededor de eso gira todo el misterio, aunque, en comparación, tuve poca dificultad en resolver esa parte del secreto. Mi marcha era segura y no podía conducirme más que a un solo resultado. Razoné así, por ejemplo: al dibujar el escarabajo, no aparecía la calavera sobre el pergamino. Cuando terminé el dibujo, se lo di a usted y le observé con fijeza hasta que me lo devolvió. No era usted, por tanto, quien había dibujado la calavera, ni estaba allí presente nadie que hubiese podido hacerlo. No había sido, pues, realizado por un medio humano. Y, sin embargo, allí estaba. En este momento de mis reflexiones, me dediqué a recordar, y recordé, en efecto, con entera exactitud, cada incidente ocurrido en el intervalo en cuestión. La temperatura era fría (¡oh!, ¡raro y feliz accidente!) y el fuego flameaba en la chimenea. Había yo entrado en calor con el ejercicio y me senté junto a la mesa. Usted, empero, tenía vuelta su silla, muy cerca de la chimenea. En el momento justo de dejar el pergamino en su mano, y cuando iba usted a examinarlo, Wolf, el perro de Terranova, entró y saltó hacia sus hombros. Con su mano izquierda usted lo acariciaba, intentando alejarlo, mientras sostenía el pergamino con la derecha, entre sus rodillas y cerca del fuego. Hubo un instante en que creí que la llama iba a alcanzarlo, y me disponía a decírselo; pero antes de que yo dijera alguna palabra usted la retiró y se dedicó a examinarlo. Cuando hube considerado todos estos detalles, no dudé ni un segundo que aquel calor había sido el agente que hizo surgir a la luz sobre el pergamino la calavera cuyo contorno veía señalarse allí. Ya sabe que hay y ha habido en todo tiempo preparaciones químicas por medio de las cuales es posible escribir sobre papel o sobre vitela caracteres que no resultan visibles hasta que son sometidos a la acción del fuego. Algunas veces se utiliza el zafre digerido en agua regia y diluido en cuatro veces su peso de agua; de ello se origina un tono verde. El régulo de cobalto, disuelto en espíritu de nitro, da el rojo. Estos colores desaparecen a intervalos más o menos largos, después que la materia sobre la cual se ha escrito se enfría, pero reaparecen a una nueva aplicación de calor.

Entonces examiné la calavera meticulosamente. Los contornos —los más próximos al borde del pergamino— resultaban mucho más claros que los otros. Era evidente que la acción del calor había sido imperfecta o desigual. Encendí inmediatamente el fuego y sometí cada parte del pergamino al calor ardiente. Al principio aquello no tuvo más efecto que reforzar las líneas débiles de la calavera; pero, perseverando en el ensayo, se hizo visible, en la esquina de la tira diagonalmente opuesta al sitio donde estaba trazada la calavera, una figura que supuse de primera intención era la de una cabra. Un examen más atento, no obstante, me convenció de que habían intentado representar un cabrito.

—¡Ja, ja! —exclamé—. No tengo, sin duda, derecho a burlarme de usted (un millón y medio de dólares es algo muy serio para tomarlo a broma). Pero no irá a establecer un tercer eslabón en su cadena; no querrá encontrar ninguna relación especial entre sus piratas y una cabra; los piratas, como sabe, no tienen nada que ver con las cabras… eso es cosa de los granjeros.

—Pero si acabo de decirle que la figura no era la de una cabra.

—Bueno; la de un cabrito, entonces; viene a ser casi lo mismo.

—Casi, pero no del todo —dijo Legrand—. Debe usted de haber oído hablar de un tal capitán *Kidd*[5]. Consideré en seguida la figura de ese animal como una especie de firma logográfica o jeroglífica. Digo firma porque el sitio que ocupaba sobre el pergamino sugería esa idea. La calavera, en la esquina diagonal opuesta, tenía así el aspecto de un sello, de una estampilla. Pero me hallé dolorosamente desconcertado ante la ausencia de todo lo demás del cuerpo de mi imaginado documento, del texto de mi contexto.

—Supongo que usted esperaba hallar una carta entre el sello y la firma.

—Algo así. El hecho es que me sentí irresistiblemente impresionado por el presentimiento de una buena fortuna inminente. No podría decir por qué. Tal vez, después de todo, era más bien un deseo que una verdadera creencia; pero ¿no sabe que las absurdas palabras de Júpiter, afirmando que el escarabajo era de oro macizo, hicieron un notable efecto sobre mi imaginación? Y luego, esa serie de accidentes y coincidencias era, en realidad, extraordinaria. ¿Observa usted lo que había de fortuito en que esos acontecimientos ocurriesen el único día del año en que ha hecho, ha podido hacer, el suficiente frío para necesitarse fuego, y que, sin ese fuego, o sin la intervención del perro en el preciso momento en que apareció, no habría podido

---

5   "Cabrito" en inglés.

yo enterarme de lo de la calavera, ni habría entrado nunca en posesión del tesoro?

—Pero, continúe... Estoy carcomido por la impaciencia.

—Bien. Seguramente usted habrá oído hablar de las muchas historias que corren, esos miles de rumores sobre tesoros enterrados en algún lugar de la costa del Atlántico por Kidd y sus socios. Esos rumores debían tener algún asidero. Y habían existido desde hace tanto tiempo y con tanta persistencia, a mi juicio, tan sólo por la circunstancia de que el tesoro enterrado permanecía enterrado. Si Kidd hubiese escondido su botín durante cierto tiempo y lo hubiera recuperado después, los rumores no habrían llegado hasta nosotros en su forma actual. Observe que esas historias giran todas alrededor de buscadores, no de descubridores de tesoros. Si el pirata hubiera recuperado su botín, el asunto habría terminado allí. Me parecía que algún accidente —por ejemplo, la pérdida de la nota que indicaba el lugar preciso— debía de haberlo privado de los medios para recuperarlo, llegando ese accidente a conocimiento de sus compañeros, quienes, de otro modo, no hubiesen podido saber nunca que un tesoro había sido escondido y que con sus búsquedas infructuosas, por carecer de guía al intentar recuperarlo, dieron nacimiento primero a ese rumor, difundido universalmente por entonces, y a las noticias tan corrientes ahora. ¿Ha oído usted hablar de algún tesoro importante que haya sido desenterrado a lo largo de la costa?

—Nunca.

—Pues es muy notorio que Kidd los había acumulado inmensos. Daba yo así por supuesto que la tierra seguía guardándolos, y no le sorprenderá mucho si le digo que abrigaba una esperanza que aumentaba casi hasta una certeza: la de que el pergamino tan singularmente encontrado contenía la última indicación del lugar donde se depositaba.

–Pero, ¿qué hizo usted?

–Expuse de nuevo la vitela al fuego, después de haberlo avivado; pero no apareció nada. Pensé entonces que era posible que la capa de mugre tuviera que ver en aquel fracaso: por eso lavé con esmero el pergamino vertiendo agua caliente encima, y una vez hecho esto, lo coloqué en una cacerola de cobre, con la calavera hacia abajo, y puse la cacerola sobre una lumbre de carbón. A los pocos minutos estando ya la cacerola calentada a fondo, saqué la tira de pergamino, y fue inexpresable mi alegría al encontrarla manchada, en varios sitios, con signos que parecían cifras alineadas. Volví a colocarla en la cacerola, y la dejé allí otro minuto. Cuando la saqué, estaba enteramente igual a como va usted a verla.

Y al llegar aquí, Legrand, habiendo calentado de nuevo el pergamino, lo sometió a mi examen. Los caracteres siguientes aparecían de manera toscamente trazada, en color rojo, entre la calavera y la cabra:

53+++305))6*;4826)4+.)4+);806*:48+8¶60))85;1+(;:+*
8+83(88) 5*+;46(;88*96*;8)*+(;485);5*+2:*+(;4956*2(5*–
4)8¶8*;406 9285);)6+8)4++;1(+9;48081;8:+1;48+85;4)485
+528806*81(+9; 48;(88;4(+?34;48)4+;161;:188;+?;

–Pero –dije, devolviéndole la tira– sigo estando tan a oscuras como antes. Si todas las joyas de Golconda esperasen de mí la solución de este enigma, estoy en absoluto seguro de que sería incapaz de obtenerlas.

–Y el caso –dijo Legrand– es que la solución no resulta tan difícil como cabe imaginarla tras un primer examen rápido de los caracteres. Estos caracteres, según pueden todos adivinarlo fácilmente, forman una cifra, es decir, contienen un significado; pero por lo que sabemos de Kidd, no podía suponerlo capaz de construir una de las más abstrusas criptografías. Pensé, pues, lo primero: que ésta era de una clase sencilla, aunque tal, sin embargo, que pareciese absolutamente indescifrable para la tosca inteligencia del marinero, sin la clave.

–¿Y en verdad usted la resolvió?

–Con mucha facilidad. Yo había resuelto otras diez mil veces más complicadas. Las circunstancias y cierta predisposición mental me han llevado a interesarme por tales acertijos, y es, en realidad, dudoso que el genio humano pueda crear un enigma de ese género que el mismo ingenio humano no resuelva con una aplicación adecuada. En efecto, una vez que logré descubrir una serie de caracteres visibles, no me preocupó apenas la simple dificultad de desarrollar su significación. En el presente caso –y realmente en todos los casos de escritura secreta– la primera cuestión se refiere al lenguaje de la cifra, pues los principios de solución, en particular tratándose de las cifras más sencillas, dependen del genio peculiar de cada idioma y pueden ser modificadas por éste. Por regla general, no existe otro medio para conseguir la solución que ensayar (guiándose por las probabilidades) todas las lenguas que nos resulten conocidas, hasta encontrar la verdadera. Pero en la cifra de este caso toda dificultad quedaba resuelta por la firma. El retruécano sobre la palabra Kidd sólo es posible en lengua inglesa. Sin esa circunstancia yo hubiese comenzado mis tentativas por el español y el francés, ya que son las lenguas en las cuales un pirata de mares españoles hubiera debido, más naturalmente, escribir un secreto de esa índole. Del modo en que se presentaba, concluí que el criptograma era inglés.

IV

Note usted en que no hay espacios entre las palabras. Si tuvieran espacios, la tarea habría sido fácil en comparación. En dicho caso yo hubiera comenzado por hacer un cotejamiento y un análisis de las palabras cortas, y de haber encontrado, como es muy probable, una palabra de una sola letra ("a" o "I"[6], por ejemplo), habría considerado tener la solución asegurada. Pero como no había espacios, mi primera medida era averiguar las letras predominantes, así como las que aparecían con menor frecuencia. Las conté todas y formé la siguiente tabla:

—El signo 8   —aparece 33 veces
— ;   — 26
— 4   — 19
+   — 16
— *   — 13
— 5   — 12
— 6   — 11
— +1   — 10
— 0   — 8
— 9 y 2   — 5
— : y 3   — 4
— ?   — 3
— ¶   — 2
— y   — 1 vez

Ahora bien: la letra que se encuentra con mayor frecuencia en inglés es la e. Después, la serie es la siguiente: a o y d h n r s t u y c f g l m w b k p q x z. La e predomina de una

---

6 En inglés, "yo".

forma tan evidente que es raro encontrar una frase sola de cierta longitud de la que no sea el carácter principal.

Tenemos, pues, nada más comenzar, una base para algo más que una simple conjetura. El uso general que puede hacerse de esa tabla es obvio, pero para esta cifra particular sólo nos serviremos de ella muy parcialmente. Puesto que nuestro signo predominante es el 8, empezaremos por ajustarlo a la e del alfabeto natural. Para comprobar esta suposición, observemos si el 8 aparece a menudo por pares –pues la e se dobla con gran frecuencia en inglés– en palabras como, por ejemplo, *meet, speed, seen, been agree*, etcétera. En este caso vemos que está doblado por lo menos cinco veces, aunque el criptograma sea breve.

Tomemos, entonces, el 8 como e. Ahora, de todas las palabras de la lengua, *the*[7] es la más usual; por tanto, debemos ver si no está repetida la combinación de tres signos, siendo el último de ellos el 8. Si descubrimos repeticiones de tal letra, así dispuestas, representarán, muy probablemente, la palabra *the*. Una vez comprobado esto, encontraremos no menos de siete de tales combinaciones, siendo los signos 48 en total. Podemos, pues, suponer que ; representa t, 4 representa h, y 8 representa e, quedando este último así comprobado. Con esto ya hemos dado un gran paso.

Hemos establecido una sola palabra; pero ello nos permite establecer también un punto más importante; es decir, varios comienzos y terminaciones de otras palabras. Veamos, por ejemplo, el penúltimo caso en que aparece la combinación ;48 casi al final de la cifra. Sabemos que el que viene inmediatamente después es el comienzo de una palabra, y de los seis signos que siguen a ese *the*, conocemos, por lo menos, cinco. Entonces sustituyamos esos signos por las letras que representan, dejando un espacio para el desconocido:

t eeth

---

7   En inglés, artículo "El" o "La".

En primer lugar debemos desechar el th como no formando parte de la palabra que comienza por la primera t, pues vemos, ensayando el alfabeto entero para adaptar una letra al hueco, que es imposible formar una palabra de la que ese *th* pueda formar parte. Reduzcamos, pues, los signos a

t ee.

Y volviendo al alfabeto, si es necesario como antes, llegamos a la palabra "tree"[8], como la única que puede leerse. Ganamos así otra letra, la r, representada por (, más las palabras yuxtapuestas *the tree.*

Un poco más lejos de estas palabras, a poca distancia, vemos de nuevo la combinación; 48 y la empleamos como terminación de lo que precede inmediatamente. Tenemos así esta distribución:

the tree : 4 + ? 34 the,

o sustituyendo con letras naturales los signos que conocemos, leeremos esto:

tre tree thr + ? 3 h the.

Ahora, si sustituimos los signos desconocidos por espacios blancos o por puntos, leeremos:

the tree thr... h the,

y, por tanto, la palabra *through*[9] resulta evidente por sí misma. Pero este descubrimiento nos da tres nuevas letras, o, u, y g, representadas por + ? y 3.

Ahora, buscando en la cifra con mucho cuidado combinaciones de signos conocidos, encontraremos no lejos del comienzo esta disposición:

83 (88, o agree,

que es, evidentemente, la terminación de la palabra *degree*[10] , que nos da otra letra, la d, representada por +.

---

8   En inglés, "árbol".

9   En inglés, "por, a través".

10   En inglés, "grado".

Cuatro letras más lejos de la palabra *degree*, observamos la combinación,

; 46 (; 88

cuyos signos conocidos traducimos, representando el desconocido por puntos, como antes; y leemos:

th . rtea.

Arreglo que nos sugiere acto seguido la palabra *thirteen* [* trece] y que nos vuelve a proporcionar dos letras nuevas, la i y la n, representadas por 6 y *.

Volviendo ahora al principio del criptograma, encontramos la combinación.

+++

53

+++

Traduciendo como antes, obtendremos

good

Lo cual nos asegura que la primera letra es una A, y que las dos primeras palabras son A *good*[11].

Ya sería tiempo de disponer nuestra clave, conforme a lo descubierto, en forma de tabla, para evitar confusiones. Nos dará lo siguiente:

5 representa a

+ = d

8 = e

3 = g

4 = h

6 = i

* = n

+ + = o

(= r

: = t

? = u

---

11 En inglés, "bueno, buena".

De este modo tenemos no menos de diez de las letras más importantes representadas, y es inútil buscar la solución con esos detalles. Ya le he dicho lo suficiente para convencerle de que cifras de ese género son de fácil solución, y para darle algún conocimiento de su desarrollo razonado. Pero tenga la seguridad de que la muestra que tenemos delante pertenece al tipo más sencillo de la criptografía. Sólo me queda darle la traducción entera de los signos escritos sobre el pergamino, ya descifrados. Aquí la tiene:

"A good glass in the Bishop's Hostel in the devil's seat forty-one degrees and thirteen minutes northeast and by north main branch seventh, limb east side shoot from the left eye of the death's head a bee-line from the tree through the shot fifty feet out"[12].

–Pero –dije– el enigma me sigue pareciendo tan difícil de entender como antes . ¿Cómo es posible sacar un sentido cualquiera de toda esa jerga referente a "la silla del diablo", "la cabeza de muerto" y "el Hostal del Obispo"?

–Reconozco –replicó Legrand– que el asunto presenta un aspecto serio cuando uno echa sobre él una mirada casual. Mi primera tarea fue separar lo escrito en las divisiones naturales que había intentado el criptógrafo.

–¿Usted se refiere a la puntuación?

–Algo por el estilo.

–Pero, ¿cómo lo hizo?

–Pensé que el rasgo característico del autor había consistido en agrupar sus palabras sin separación alguna, queriendo así aumentar la dificultad de la solución. Ahora bien: un hombre poco agudo, al perseguir tal objeto, tendrá, segu-

---

12 "Un buen vaso en el Hostal del Obispo en la silla del diablo cuarenta y un grados y trece minutos nordeste cuatro de norte, principal rama séptimo vástago lado este soltar desde el ojo izquierdo de la cabeza de muerto una línea recta desde el árbol a través de la bala cincuenta pies fuera".

ramente, la tendencia a superar la medida. Cuando en el curso de su composición llegaba a una interrupción de su tema que requería, naturalmente, una pausa o un punto, se excedió, en su tendencia a agrupar sus signos, más que de costumbre. Si observa usted ahora el manuscrito le será fácil descubrir cinco de esos casos de inusitado agrupamiento. Utilizando ese indicio hice la consiguiente división:

"A good glass in the bishop's hostel in the devil's seat -forty one degrees and thirteen minutes-northeast and by north-main branch seventh limb east side-shoot from the left eye of the death's-head-a bee line from the tree through the shot fifty feet out"[13].

—Incluso con esa separación —dije—, sigo estando a oscuras.

—Yo lo estuve también —respondió Legrand— por espacio de algunos días, durante los cuales realicé diligentes pesquisas en las cercanías de la isla de Sullivan, sobre una casa que llevase el nombre de Hotel del Obispo, pues, por supuesto, deseché la palabra anticuada "hostal". Como no alcancé ningún resultado sobre la cuestión, estaba a punto de extender el campo de mi búsqueda y de obrar de un modo más sistemático, cuando una mañana se me ocurrió de repente que aquel "Bishop's Hostel" podía tener alguna relación con una antigua familia apellidada Bessop, la cual, desde tiempo inmemorial, era dueña de una antigua casa solariega a unas cuatro millas, aproximadamente, al norte de la isla. De acuerdo con lo cual fui a la plantación, y comencé de nuevo mis pesquisas entre los negros más viejos del lugar. Por último, una de las mujeres de más edad me dijo que ella había

---

13 "Un buen vaso en el Hostal del Obispo en la silla del diablo —cuarenta y un grados y trece minutos— nordeste cuatro de norte -principal rama séptimo vástago lado este soltar desde el ojo izquierdo de la-cabeza-de muerto una línea recta desde el árbol a través de la bala cincuenta pies fuera".

oído hablar de un sitio como Bessop's Castle, y que creía poder conducirme hasta él, pero que no era un castillo, ni mesón, sino una alta roca. Le ofrecí una buena retribución por su molestia y tras algunas dudas aceptó acompañarme hasta ese lugar. Lo descubrimos sin gran dificultad; entonces la despedí y me dediqué al examen del paraje. El castillo consistía en una agrupación irregular de macizos y rocas, una de ellas muy notable tanto por su altura como por su aislamiento y su aspecto artificial. Trepé a la cima, y entonces me sentí perplejo ante lo que debía hacer después. Mientras meditaba en ello, mis ojos cayeron sobre un estrecho reborde en la cara oriental de la roca a una yarda quizá por debajo de la cúspide donde estaba colocado. Aquel reborde sobresalía unas dieciocho pulgadas, y no tendría más de un pie de anchura; un entrante en el risco, justamente encima, le daba una tosca semejanza con las sillas de respaldo cóncavo que usaban nuestros antepasados. No dudé que fuese aquello la "silla del diablo" a la que aludía el manuscrito, y me pareció descubrir ahora el secreto entero del enigma. El "buen vaso" lo sabía yo, no podía referirse más que a un catalejo, pues los marineros de todo el mundo rara vez emplean la palabra "vaso" en otro sentido. Comprendí ahora en seguida que debía utilizarse un catalejo desde un punto de vista determinado que no admitía variación. No dudé un instante en pensar que las frases "cuarenta y un grados y trece minutos" y "Nordeste cuarto de Norte" debían indicar la dirección en que debía apuntarse el catalejo. Sumamente excitado por aquellos descubrimientos, marché, presuroso, a casa, cogí un catalejo y volví a la roca. Me dejé escurrir sobre el reborde y vi que era imposible permanecer sentado allí, salvo en una posición especial. Éste hecho confirmó mi preconcebida idea. Me dispuse a utilizar el catalejo. Naturalmente, los "cuarenta y un grados y trece minutos" podían aludir sólo a la elevación por encima del horizonte visible, puesto que la dirección horizontal estaba indicada con claridad por las palabras "Nordeste cuarto de Norte". Establecí esta última dirección por medio de una brújula de bolsillo; luego, apuntando el catalejo con tanta exactitud como pude con un ángulo de cuarenta y un grados de elevación, lo moví con cuidado de arriba abajo, hasta que detuvo mi atención una grieta circular u orificio en el follaje de un gran árbol que sobresalía de todos los demás, a distancia. En el centro de aquel orificio divisé un punto blanco; pero no pude distinguir al principio lo que era. Graduando el foco del catalejo, volví a mirar, y comprobé ahora que era un cráneo humano. Tras este descubrimiento, consideré con entera confianza el enigma como resuelto, pues la frase "rama principal, séptimo vástago, lado Este" no podía referirse más que a la posición de la calavera sobre el árbol, mientras lo de "soltar desde el ojo izquierdo de la cabeza de muerto" no admitía tampoco más que una interpretación con respecto a la busca de un tesoro enterrado. Comprendí que se trataba de dejar caer una bala desde el ojo izquierdo, y que una línea recta (línea de abeja), partiendo del punto más cercano al tronco por "la bala" (o por el punto donde cayese la bala), y extendiéndose desde allí a una distancia de cincuenta pies, indicaría el sitio preciso, y debajo de este sitio juzgué que era, por lo menos, posible que estuviese allí escondido un depósito valioso.

—Todo eso —dije— está más que claro, y a la vez es ingenioso, sencillo y explícito. Y cuando abandonó usted el Hotel del Obispo, ¿qué hizo?

—Pues habiendo anotado escrupulosamente la orientación del árbol, me volví a casa. Sin embargo en el momento de abandonar "la silla del diablo", el orificio circular desapareció, y de cualquier lado que me volviese ya me resultaba imposible divisarlo. Lo que me parece el colmo del ingenio en este asunto es el hecho (pues, al repetir la experiencia, me he convencido de que es un hecho) de que la abertura circular en cuestión resulta sólo visible desde un punto que es el indicado por esa estrecha cornisa sobre la superficie de la roca.

En esta expedición al Hotel del Obispo fui seguido por Júpiter, quien observaba, sin duda, desde hacia unas semanas, mi aire absorto, y ponía un especial cuidado en no dejarme solo. Pero al día siguiente me levanté muy temprano, conseguí escaparme de él y corrí a las colinas en busca del árbol. Me costó mucho trabajo encontrarlo. Cuando volví a casa por la noche, mi criado se disponía a vapulearme. En cuanto al resto de la aventura, creo que está usted tan enterado como yo.

—Supongo —dije— que equivocó usted el sitio en las primeras excavaciones, a causa de la estupidez de Júpiter dejando caer el escarabajo por el ojo derecho de la calavera en lugar de hacerlo por el izquierdo.

—Exactamente. Esa equivocación originaba una diferencia de dos pulgadas y media, poco más o menos, en relación con la bala, es decir, en la posición de la estaca junto al árbol, y si el tesoro hubiera estado bajo la "bala", el error habría tenido poca importancia; pero la "bala", y al mismo tiempo el punto más cercano al árbol, representaban simplemente dos puntos para establecer una línea de dirección; claro está que el error, aunque insignificante al principio, aumentaba al avanzar siguiendo la línea, y cuando hubimos llegado a una distancia de cincuenta pies, nos había apartado por completo de la pista. Si no hubiera estado tan arraigada mi convicción de que allí había algo enterrado, todo nuestro trabajo hubiera sido inútil.

—Pero su grandilocuencia, su actitud balanceando el insecto, ¡todo fue tan excesivamente estrambótico! Yo tenía la certeza de que usted estaba loco. Y ¿por qué insistió en dejar caer el escarabajo desde la calavera, en vez de una bala?

—¡Bueno! Para serle franco, me sentía algo molesto por sus evidentes sospechas respecto a mi salud mental, de modo que decidí castigarlo un poco, a mi manera, con una pizca de calmo misticismo. Esa es la razón por cual yo balanceaba el insecto, y por esa misma razón quise dejarlo caer desde el árbol. Una observación que usted hizo acerca de su peso me sugirió esta última idea.

–Sí, comprendo. Ahora sólo resta un punto que me desconcierta. ¿Qué vamos a decir de los esqueletos encontrados en el hoyo?

–Esa es una pregunta a la cual, al igual que usted, yo no sería capaz de contestar. Por cierto, no veo más que una forma admisible para explicar eso; pero mi sugerencia esconde una atrocidad tal que resulta horrible de creer. Es claro que Kidd (si fue verdaderamente Kidd quien escondió el tesoro, lo cual no dudo), debió necesitar ayuda para llevar adelante la tarea. Pero, una vez terminado, pudo juzgar conveniente eliminar a todos aquellos que compartían su secreto. Quizás un par de golpes con la azada fueron suficientes, mientras sus ayudantes estaban ocupados en el hoyo. Quizás necesitó una docena. ¿Quién sabe?

Índice

Índice